A-Z SOUTHEND

G000075743

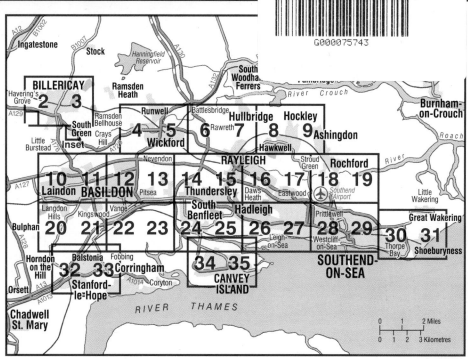

Reference

A Road	A13
Under Construction	
Proposed	
B Road	B1420
Dual Carriageway	
One Way Street Traffic flow on A roads is indicated by a heavy line on the drivers' left	→
Pedestrianized Road	
Restricted Access	
Unmade Road	
Track & Footpath	

Residential Walkway	·········
Railway Level Crossing / Station	
Built Up Area GLEN RD.	
Local Authority Boundary	—·—·—
Posttown Boundary	— — —
Postcode Boundary within Posttown	— — —
Map Continuation	5
Car Park Selected	P
Church or Chapel	†

Cycle Route Selected	
Fire Station	■
Hospital	H
House Numbers A & B Roads Only	24 — 70
Information Centre	i
National Grid Reference	595
Police Station	▲
Post Office	★
Toilet	▽
with facilities for the Disabled	

Scale

3⅓ inches (8.45 cm) to 1 mile
1:19,000 **5.26 cm to 1km**

0   ¼   ½   ¾ Mile
0   250   500   750 Metres   1 Kilometre

Copyright of Geographers' A-Z Map Company Limited

Head Office : Fairfield Road, Borough Green, Sevenoaks, Kent TN15 8PP Tel: 01732 781000
Showrooms : 44 Gray's Inn Road, London WC1X 8HX Tel: 0171 242 9246

Based upon the Ordnance Survey mapping with the permission of the Controller of Her Majesty's Stationery Office

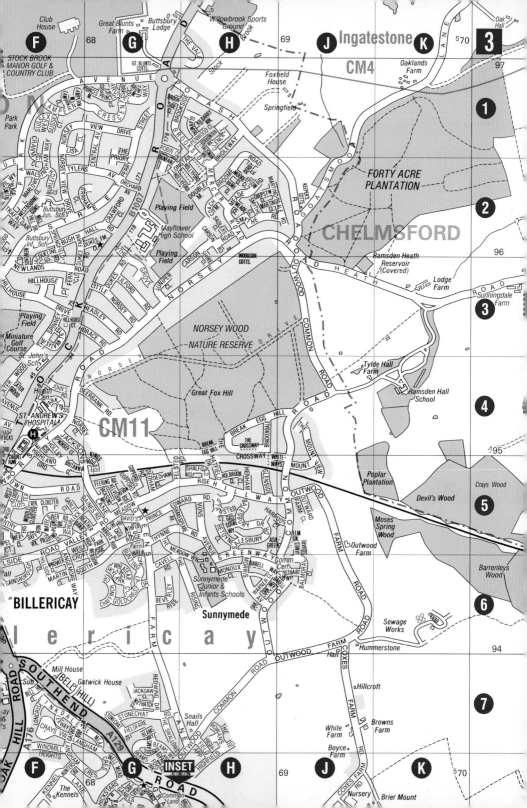

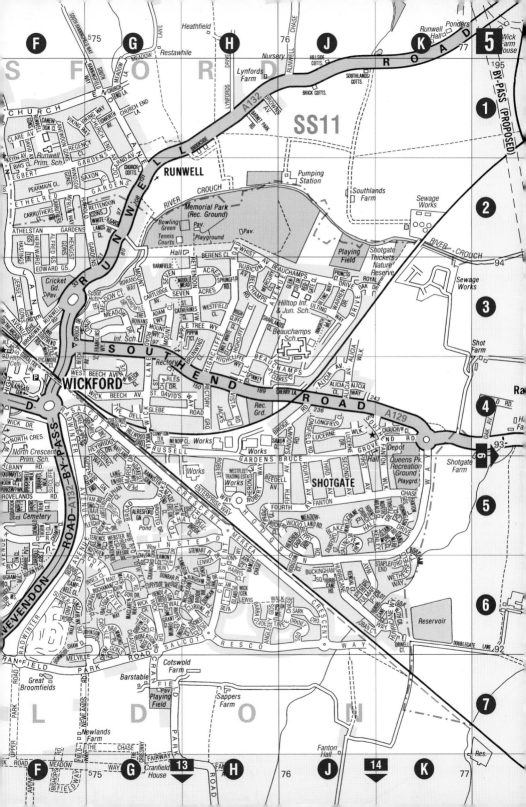

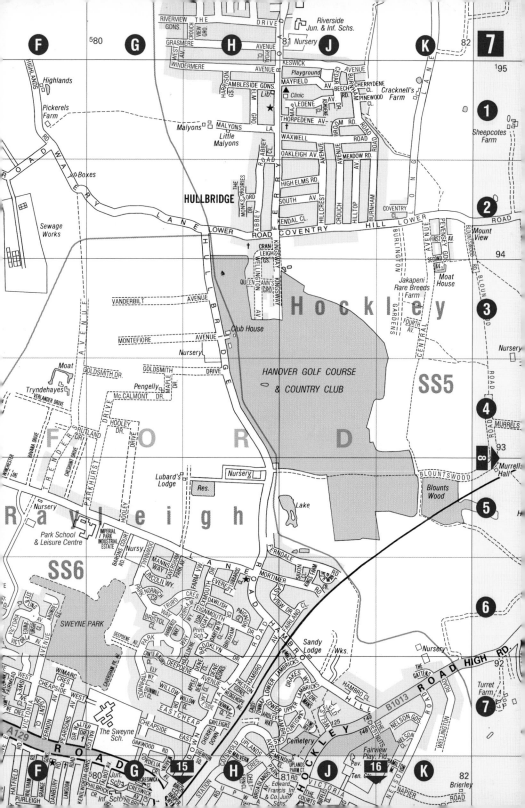

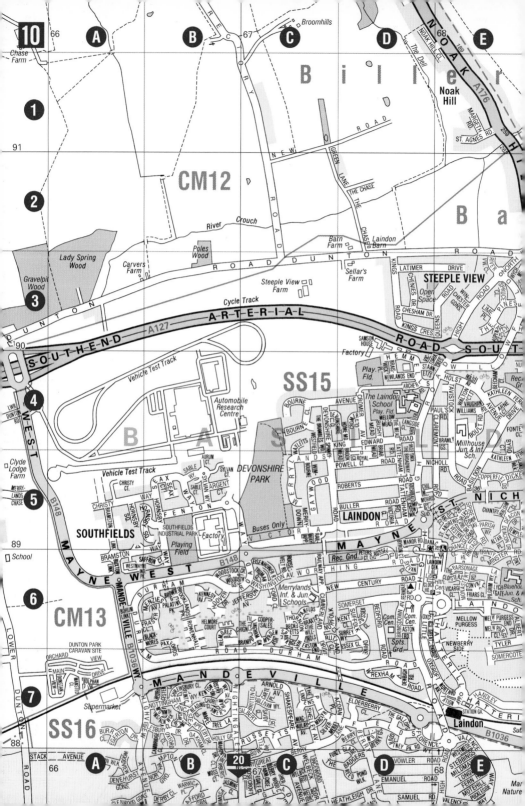

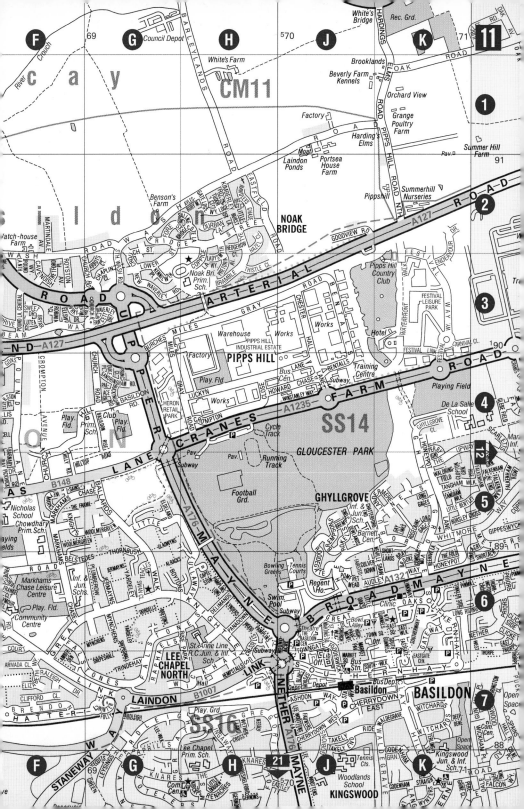

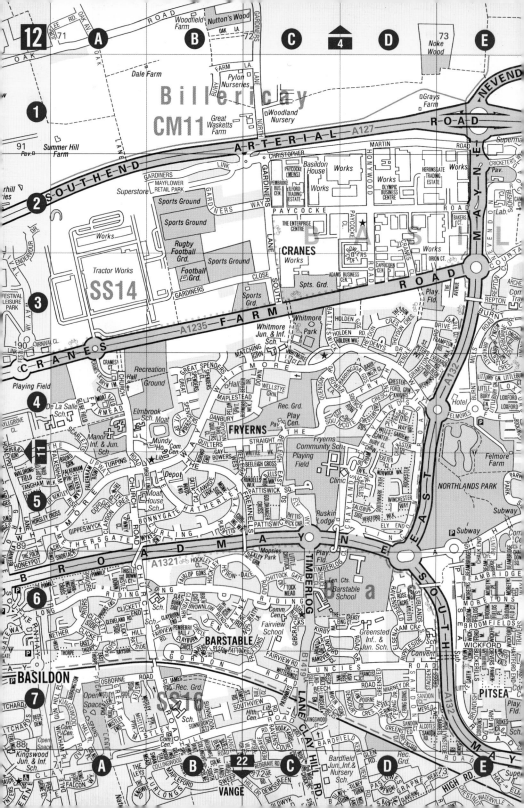

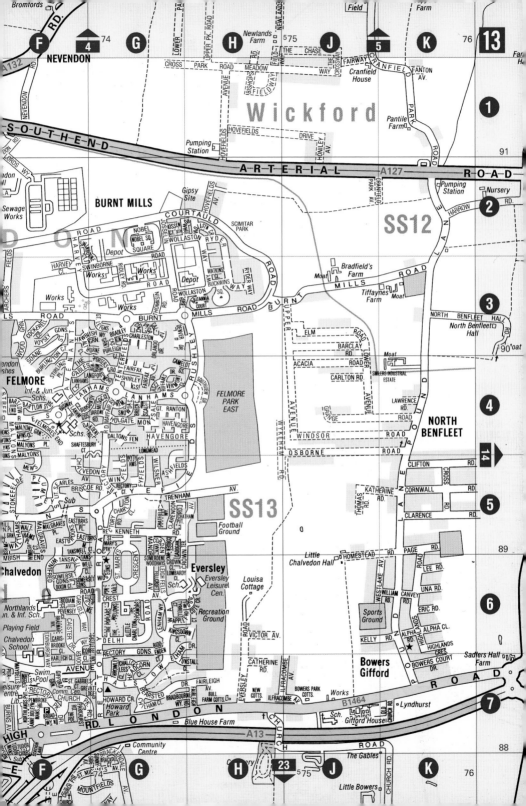

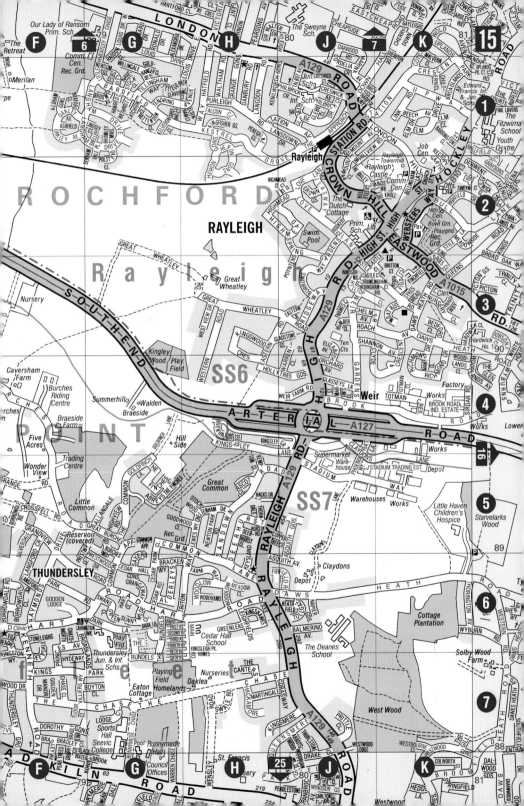

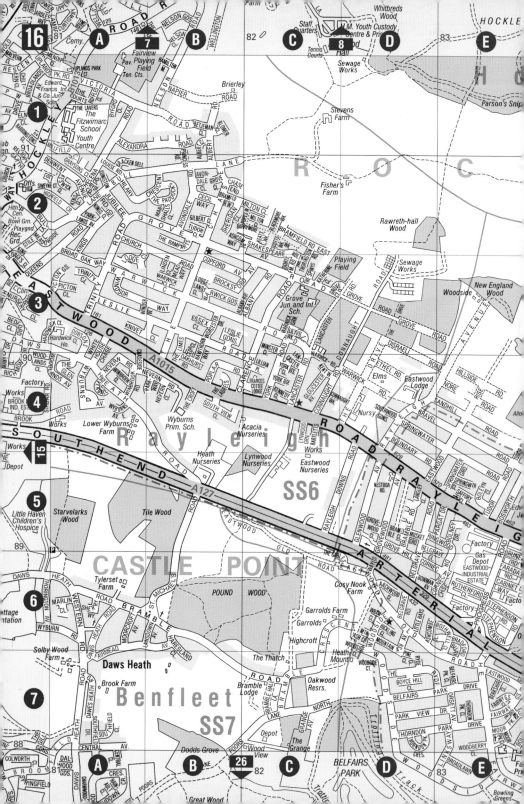

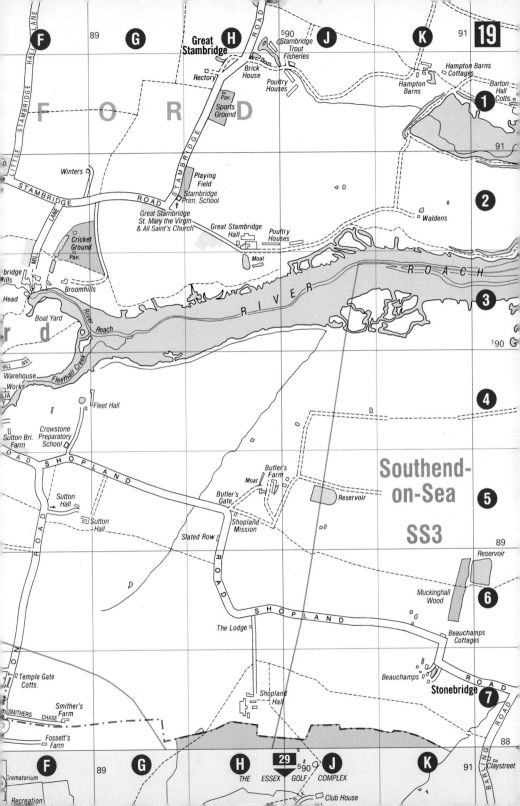

F O R D

LITTLE STAMBRIDGE HALL LANE

590
Stambridge Trout Fisheries

Brick House

Rectory

Poultry Houses

Pav.
Sports Ground

Hampton Barns Cottages
Hampton Barns

Barton Hall Cotts.

1

91

2

Winters

Waldens

STAMBRIDGE ROAD

Playing Field
Stambridge Prim. School

Great Stambridge St. Mary the Virgin & All Saint's Church

Great Stambridge Hall

Poultry Houses

R O A C H

MILL LANE

Cricket Ground Pav.

Moat

bridge Hills

Broomhills

Head

R I V E R

3

Boat Yard

River Roach

190

HALL WY

Warehouse
Works

Fleethall Creek

Fleet Hall

4

Sutton Bri. Farm

Crowstone Preparatory School

Butler's Farm

Moat

Southend-on-Sea

ROAD SHOPLAND

Sutton Hall

Butler's Gate

Shopland Mission

Reservoir

SS3

5

89

Sutton Hall

Slated Row

Reservoir

ROAD

Muckinghall Wood

6

SHOPLAND

The Lodge

Beauchamps Cottages

Temple Gate Cotts.

Shopland Hall

Beauchamps

ROAD

Stonebridge

7

Smither's Farm

SMITHERS CHASE

BARLING ROAD

Fossett's Farm

88

Crematorium

THE ESSEX GOLF COMPLEX

Claystreet

Recreation

Club House

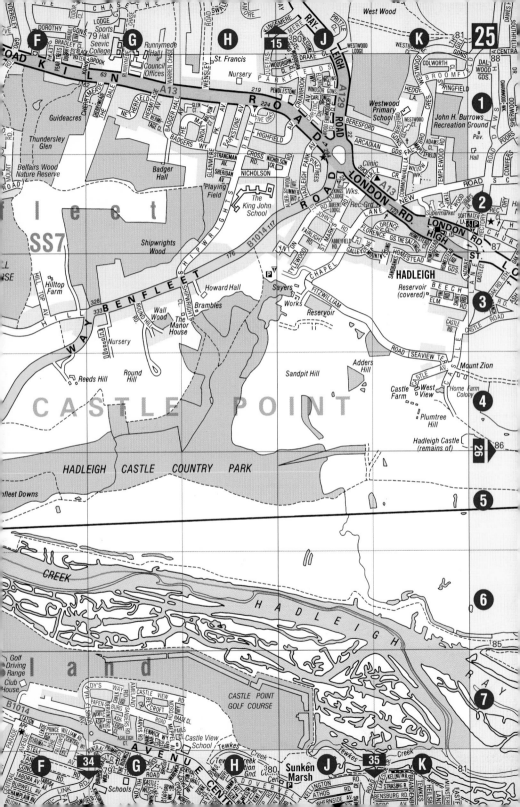

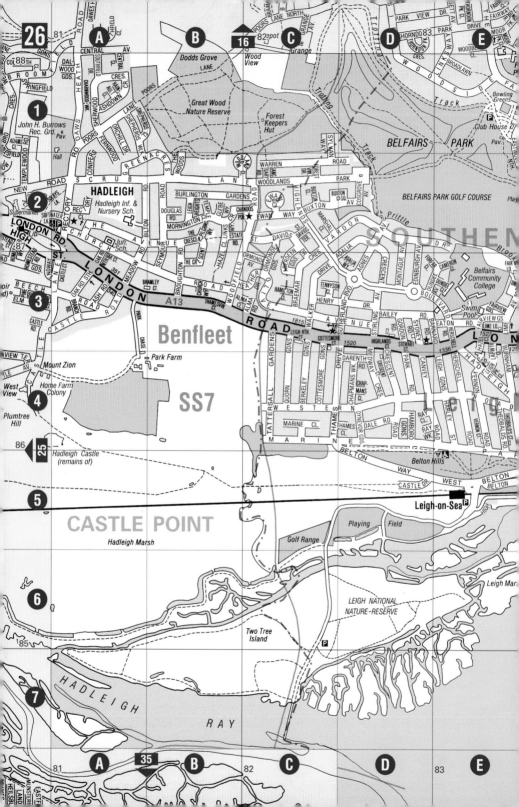

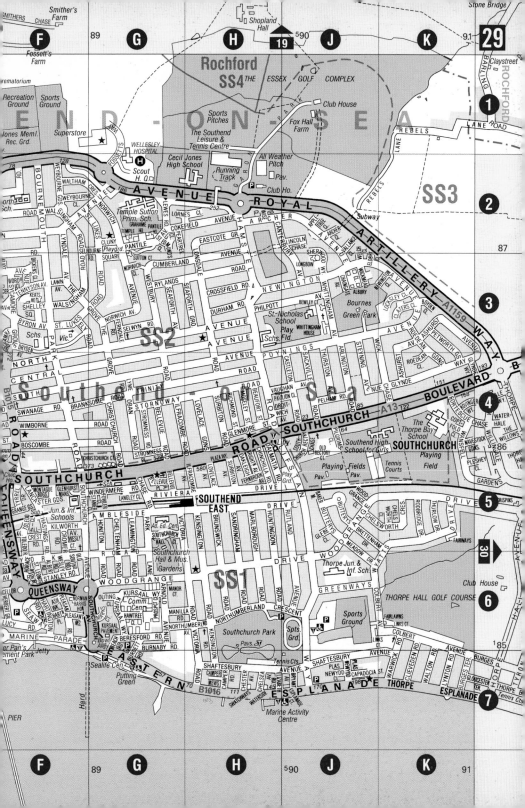

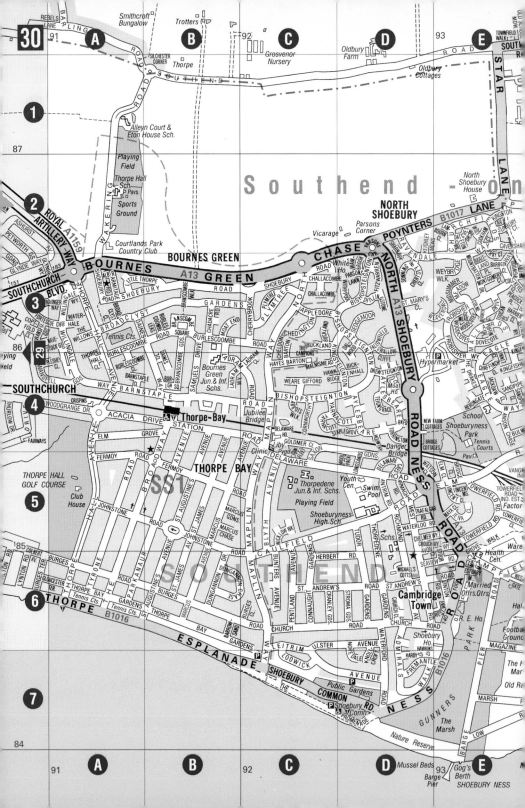

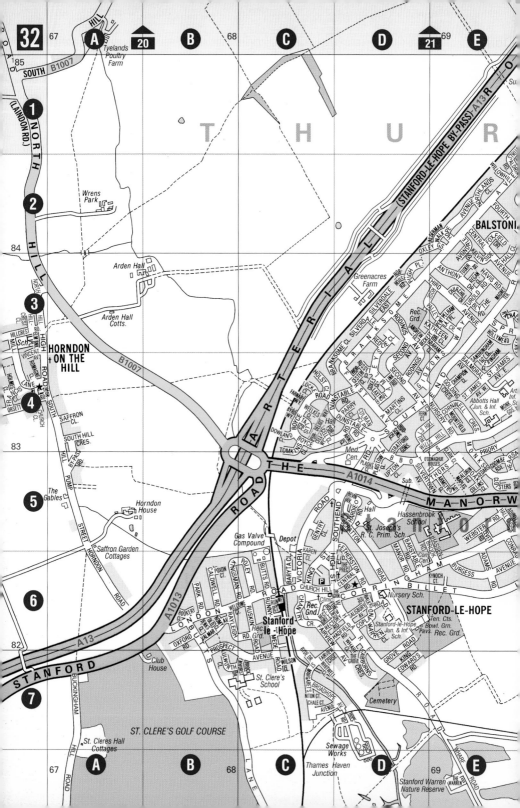

INDEX TO STREETS

Including Industrial Estates and a selection of Subsidiary Addresses.

HOW TO USE THIS INDEX

1. Each street name is followed by its Posttown or Postal Locality and then by its map reference; e.g. Abbey Rd. *Bill* —6D **2** is in the Billericay Posttown and is to be found in square 6D on page **2**. The page number being shown in bold type.
   A strict alphabetical order is followed in which Av., Rd., St., etc. (though abbreviated) are read in full and as part of the street name; e.g. Abbeyfield Ho. appears after Abbey Clo. but before Abbey Rd.

2. Streets and a selection of Subsidiary names not shown on the Maps, appear in the index in *Italics* with the thoroughfare to which it is connected shown in brackets; e.g. *Afflets Ct. Bas* —4A **12** (off Moat Field)

GENERAL ABBREVIATIONS

All : Alley
App : Approach
Arc : Arcade
Av : Avenue
Bk : Back
Boulevd : Boulevard
Bri : Bridge
B'way : Broadway
Bldgs : Buildings
Bus : Business
Cvn : Caravan
Cen : Centre
Chu : Church
Chyd : Churchyard
Circ : Circle
Cir : Circus

Clo : Close
Comn : Common
Cotts : Cottages
Ct : Court
Cres : Crescent
Dri : Drive
E : East
Embkmt : Embankment
Est : Estate
Gdns : Gardens
Ga : Gate
Gt : Great
Grn : Green
Gro : Grove
Ho : House
Ind : Industrial

Junct : Junction
La : Lane
Lit : Little
Lwr : Lower
Mnr : Manor
Mans : Mansions
Mkt : Market
M : Mews
Mt : Mount
N : North
Pal : Palace
Pde : Parade
Pk : Park
Pas : Passage
Pl : Place
Quad : Quadrant

Rd : Road
Shop : Shopping
S : South
Sq : Square
Sta : Station
St : Street
Ter : Terrace
Trad : Trading
Up : Upper
Vs : Villas
Wlk : Walk
W : West
Yd : Yard

POSTTOWN AND POSTAL LOCALITY ABBREVIATIONS

Bas : Basildon
Bat : Battlesbridge
Ben : Benfleet
Bill : Billericay
Brtwd : Brentwood
Bulp : Bulphan
Burnt M : Burnt Mills Ind. Est.
Can I : Canvey Island
Corr : Corringham
Cray H : Crays Hill
D'ham : Downham

Dun : Dunton
E'wd : Eastwood
Fob : Fobbing
Gt W : Great Wakering
Had : Hadleigh
H'wl : Hawkwell
Hock : Hockley
Horn H : Horndon-on-the-Hill
Hull : Hullbridge
Hut : Hutton
Lain : Laindon

Lang H : Langdon Hills
Lgh S : Leigh-on-Sea
L Bur : Little Burstead
N Ben : North Benfleet
Pits : Pitsea
Rams B : Ramsden Bellhouse
Rams H : Ramsden Heath
Raw : Rawreth
Ray : Rayleigh
R'fd : Rochford
Runw : Runwell

Shoe : Shoeburyness
Sth S : Southend-on-Sea
Sth B : Southfields Bus. Pk.
Stan H : Stanford-le-Hope
Stock : Stock
Van : Vange
Wclf S : Westcliff-on-Sea
W'fd : Wickford

INDEX TO STREETS

Aalten Av. *Can I* —5K **35**
Abbey Clo. *Hull* —1H **7**
Abbeyfield Ho. *Ben* —2J **25**
Abbey Rd. *Bill* —6D **2**
Abbey Rd. *Hull* —2H **7**
Abbots Ct. *Bas* —3G **11**
Abbots Ride. *Bill* —5G **3**
Abbots Wlk. *Shoe* —4C **30**
Abbotswood. *Ben* —7J **15**
Abbotts Clo. *Lgh S* —7G **17**
Abbotts Dri. *Stan H* —5D **32**
Abbotts Hall Chase. *Stan H* —5E **32**
Abensburg Rd. *Can I* —3H **35**
Aberdeen Gdns. *Lgh S* —3C **26**
Abingdon Ct. *Bas* —3E **12**
Abreys. *Ben* —5G **15**
Acacia Dri. *Sth S* —4A **30**
Acacia Rd. *Bas* —4J **13**
Acorn Pl. *Bas* —7D **10**
Acorns, The. *Hock* —4E **8**
Acott Av. *Lgh S* —2C **26**
Acres, The. *Stan H* —4F **33**
Adalia Cres. *Lgh S* —2D **26**
Adalia Way. *Lgh S* —3D **26**
Adams Bus. Cen. *Bas* —3D **12**
Adams Glade. *R'fd* —5K **9**
Adams Pk. *Hull* —6H **5**
Adams Rd. *Stan H* —6E **32**
Adam Way. *W'fd* —3G **5**
Adelaide Gdns. *Ben* —4D **24**
Adelsburg Rd. *Can I* —4G **35**
Admirals Wlk. *Shoe* —6D **30**
Afflets Ct. Bas —4A **12**
(off Moat Field)

Agnes Av. *Lgh S* —3D **26**
Ailsa Rd. *Wclf S* —5A **28**
Aimes Grn. Bas —3G **13**
(off Porters)
Airborne Clo. *Lgh S* —7G **17**
Airborne Ind. Est. *Lgh S* —7G **17**
Alan Clo. *Lgh S* —6G **17**
Alan Gro. *Lgh S* —6G **17**
Albany Av. *Wclf S* —4C **28**
Albany Rise. *Ray* —3B **16**
Albany Rd. *Ray* —3C **16**
Albany Rd. *W'fd* —5F **5**
Albert Clo. *Ray* —1B **16**
Albert Clo. *R'fd* —5J **9**
Albert Dri. *Ray* —1B **16**
Albert M. *Wclf S* —5C **28**
Albert Pl. Sth S —6G **29**
(off Beach Rd.)
Albert Rd. *Ben* —6B **14**
Albert Rd. *Ray* —1B **16**
Albert Rd. *R'fd* —5J **9**
Albert Rd. Sth S —3A **30**
(Armitage Rd.)
Albert Rd. *Sth S* —6F **29**
(York Rd.)
Albion Ct. *Bill* —6E **2**
Albion Rd. *Ben* —1C **24**
Albion Rd. *Wclf S* —4C **28**
Albury. *Sth S* —3J **29**
Albyns. *Bas* —1E **20**
Alcotes. *Bas* —7D **12**
Alder Clo. *Lain* —3E **10**
Alderleys. *Ben* —6G **15**

Alderman's Hill. *Hock* —6B **8**
Alderman Wlk. *Stan H* —2E **32**
Alderney Gdns. *W'fd* —1E **4**
Alderwood Way. *Ben* —2J **25**
Aldham Gdns. *Ray* —1F **15**
Aldria Rd. *Stan H* —2E **32**
Aldrin Clo. *Stan H* —5E **32**
Aldrin Way. *Lgh S* —6J **17**
Alexander Rd. *Bas* —2D **20**
(in two parts)
Alexandra Ct. Sth S —6D **28**
(Alexandra Rd.)
Alexandra Ct. Sth S —4D **28**
(Baxter Av.)
Alexandra Rd. *Ben* —3D **24**
Alexandra Rd. *Gt W* —1G **31**
Alexandra Rd. *Lgh S* —5G **27**
Alexandra Rd. *Ray* —1A **16**
Alexandra Rd. *R'fd* —4J **9**
Alexandra Rd. *Sth S* —6D **28**
Alexandra St. *Sth S* —6E **28**
Alexandria Dri. *Ray* —7E **6**
Alfred Gdns. *W'fd* —2F **5**
Alicia Av. *W'fd* —4J **5**
Alicia Clo. *W'fd* —4J **5**
Alicia Way. *W'fd* —4J **5**
Alicia Wlk. *W'fd* —3J **5**
Allandale. *Ben* —5G **15**
Allensway. *Stan H* —4F **33**
Allerton Clo. *R'fd* —5J **9**
Alley Dock. *Lgh S* —5F **27**
Alleyn Pl. *Wclf S* —4B **28**
Allington Ct. *Bill* —6A **2**
Alliston Way. *Stan H* —4F **33**

Alma Clo. *Ben* —3B **26**
Alma Clo. *W'fd* —5C **4**
Alma Rd. *Ben* —3C **26**
Almere. *Ben* —1D **24**
Almond Av. *W'fd* —4E **4**
Almond Wlk. *Can I* —4D **34**
Alnwick Clo. *Lain* —7B **10**
Alp Ct. *Gt W* —1G **31**
Alpha Clo. *Bas* —6K **13**
Alpha Rd. *Bas* —6K **13**
Alracks. *Bas* —6G **11**
Alresford Grn. *W'fd* —5G **5**
Altar Pl. *Lain* —5E **10**
Althorne Clo. *Bas* —3F **13**
Althorpe Clo. *Hock* —5D **8**
Alton Gdns. *Sth S* —7C **18**
Alyssum Wlk. *Bill* —2D **2**
Amberden. *Bas* —7F **11**
Ambleside Dri. *Sth S* —5G **29**
Ambleside Gdns. *Hull* —1H **7**
Ambleside Wlk. *Can I* —4D **34**
Ameland Rd. *Can I* —2E **34**
Amelia Blackwell Ho. Can I —5C **34**
(off Link Rd.)
Amersham Av. *Bas* —7B **10**
Amid Rd. *Can I* —3G **35**
Ampers End. *Bas* —7B **12**
Anchorage, The. *Gt W* —1H **31**
Anders Fall. *Lgh S* —6J **17**
Andersons. *Stan H* —5F **33**
Andrew Clo. *Stan H* —3D **32**
Andyk Rd. *Can I* —5J **35**
Anerley Rd. *Wclf S* —5B **28**
Angel Clo. *Bas* —2B **22**

Anglesey Gdns. *W'fd* —6H **5**
Anne Boleyn Dri. *R'fd* —5D **18**
Anson Chase. *Shoe* —4E **30**
Anstey Clo. *Lgh S* —5F **17**
Anthony Clo. *Bill* —7B **2**
Anthony Clo. *Can I* —3F **35**
Anthony Dri. *Stan H* —3E **32**
Antlers. *Can I* —6D **34**
Antrim Rd. *Shoe* —5D **30**
Anvil Way. *Bill* —2F **3**
Apeldoorn. *Ben* —5B **14**
Appleby Dri. *Lain* —7B **10**
Appledene Clo. *Ray* —7H **7**
Appledore. *Shoe* —3C **30**
Appleford Ct. *Bas* —6G **13**
Applerow. *Lgh S* —6H **17**
Appleton Rd. *Ben* —2B **24**
Appletree Clo. *Sth S* —2J **29**
Apple Tree Way. *W'fd* —3H **5**
Appleyard Av. *Hock* —3E **8**
Approach Rd. *Can I* —5K **35**
Approach Rd. *Cray H* —6A **4**
Approach, The. *Ray* —1J **15**
Aragon Clo. *Sth S* —1C **28**
Arcade, The. *W'fd* —3F **5**
Arcadian Gdns. *Ben* —1J **25**
Arcadia Rd. *Can I* —5H **35**
Archer Av. *Sth S* —2H **29**
Archer Clo. *Sth S* —2J **29**
Archer Rd. *Bas* —4D **10**
Archers Clo. *Bill* —7E **2**
Archers Fields. *Bas* —3F **13**
Archibald Ter. *Bas* —5D **10**
Ardleigh. *Bas* —7G **11**
Ardley Way. *Ray* —7H **7**
Argent Ct. *Lain* —5B **10**
Argyll Ho. *Wclf S* —6B **28**
Argyll Rd. *Wclf S* —5B **28**
Arjan Way. *Can I* —5A **34**
Ark La. *R'fd* —3H **17**
Arlington Rd. *Sth S* —4J **29**
Arlington Way. *Bill* —2D **2**
Armada. *Can I* —3D **34**
Armadale. *Can I* —3D **34**
Armagh Rd. *Shoe* —5D **30**
Armath Pl. *Lang H* —2B **20**
Armitage Rd. *Sth S* —3A **30**
Armstrong Clo. *Stan H* —5E **32**
Armstrong Rd. *Ben* —5D **14**
Arne Clo. *Stan H* —4D **32**
Arne Ct. *Bas* —4E **10**
Arne M. Bas —4E **10**
   (off Basildon Dri.)
Arnold Av. *Sth S* —7C **10**
Arnold Av. *Sth S* —6G **29**
Arnolds Way. *R'fd* —4K **9**
Arran Ct. *W'fd* —6H **5**
Arterial Rd. *Stan H* —4C **32**
Arundel Clo. *Bill* —1G **3**
Arundel Dri. *Corr* —3G **33**
Arundel Gdns. *Ray* —6F **7**
Arundel Gdns. *Wclf S* —2J **27**
Arundel M. *Bill* —1G **3**
Arundel Rd. *Ben* —5B **14**
Arundel Rd. *R'fd* —2J **9**
Arundel Rd. *W'fd* —2E **4**
Arundel Way. *Bill* —1G **3**
Ascot Clo. *Ben* —5H **15**
Ashanti Clo. *Shoe* —4F **31**
Ashburnham Rd. *Sth S* —5D **28**
Ashcombe. *R'fd* —1B **18**
Ashcombe Clo. *Lgh S* —6D **16**
Ashcombe Way. *Ray* —2B **16**
Ash Ct. *Shoe* —6F **31**
Ashdene Clo. *Hull* —1J **7**
Ashdon Way. *Bas* —7J **11**
Ashdown Clo. *Corr* —2F **33**
Ashdown Cres. *Ben* —1A **26**
Ashfield. *Ray* —1F **15**
Ashfields. *Pits* —5G **13**
Ash Grn. *Bill* —5H **3**
Ashingdale Clo. *Can I* —6F **35**

Ashingdon Rd. *Hock & R'fd*
   —2H **9**
Ashleigh Clo. *Can I* —2E **34**
Ashleigh Ct. *Can I* —2E **34**
Ashleigh Dri. *Lgh S* —5H **27**
Ashley Clo. *Corr* —3G **33**
Ashlyns. *Bas* —5E **12**
Ash Rd. *Ben* —3A **26**
Ash Rd. *Can I* —5G **35**
Ash Tree Wlk. *Bas* —7D **12**
Ashurst Av. *Sth S* —4K **29**
Ash Wlk. *Sth S* —6F **29**
Ashway. *Corr* —2H **33**
Ash Way. *Hock* —3E **8**
Ashworths. *Can I* —2E **34**
Ashworths. *R'fd* —5J **9**
Aspen Clo. *Can I* —4C **34**
Aspen Ct. *Lain* —3E **10**
Asquith Av. *Ben* —6H **15**
Asquith Gdns. *Ben* —5J **15**
Assandune Clo. *R'fd* —4K **9**
Aston Rd. *Bas* —6D **10**
Athelstan Gdns. *W'fd* —2F **5**
Atherstone Clo. *Can I* —6G **35**
Atherstone Rd. *Can I* —6G **35**
Athol Clo. *Can I* —6K **35**
Athos Rd. *Can I* —3G **35**
Atridge Chase. *Bill* —3E **2**
Audleys Clo. *Sth S* —7C **18**
Audley Way. *Bas* —6J **11**
Aurum Ct. *Lain* —5B **10**
Avebury Rd. *Wclf S* —4C **28**
Avenue Rd. *Ben* —2E **24**
Avenue Rd. *Lgh S* —5G **27**
Avenue Rd. *Stan H* —5J **21**
Avenue Rd. *Wclf S* —5D **28**
Avenue Ter. *Wclf S* —5C **28**
Avenue, The. *Bas* —3E **12**
Avenue, The. *Ben* —2A **26**
Avenue, The. *Bill* —5D **2**
Avenue, The. *Can I* —6F **35**
Avenue, The. *Fob* —2K **33**
Aviation Way. *Sth S* —5K **17**
Avington Wlk. *Ben* —6F **15**
Avoca Ter. Wclf S —3B **28**
   (off Fairfax Dri.)
Avon Clo. *R'fd* —6J **9**
Avondale Clo. *Ray* —2B **16**
Avondale Dri. *Lgh S* —1H **27**
Avondale Gdns. *Stan H* —2E **32**
Avondale Rd. *Bas* —1E **22**
Avondale Rd. *Ben* —2D **24**
Avondale Rd. *Ray* —2B **16**
Avondale Wlk. *Can I* —4C **34**
Avon Rd. *Can I* —5E **34**
Avon Way. *Shoe* —5D **30**
Avro Rd. *Sth S* —6B **18**
Aylesbeare. *Shoe* —4D **30**
Aylesbury Dri. *Lang H* —7B **10**
Aylesbury M. *Bas* —2H **11**
Aylett Clo. *Can I* —4G **35**
Ayletts. *Bas* —6D **12**
Azalea Av. *W'fd* —4E **4**

Baardwyk Av. *Can I* —5J **35**
Back La. *R'fd* —3D **18**
Badger Hall Av. *Ben* —1G **25**
Badgers Clo. *Wclf S* —1K **27**
Badgers Mt. *Hock* —6C **8**
Badgers, The. *Bas* —1C **20**
Badgers Way. *Ben* —1G **25**
Bailey Rd. *Lgh S* —3D **26**
Bailey, The. *Ray* —2J **15**
Baker Av. *Ray* —7G **7**
Bakers Ct. *Bas* —2E **12**
Balfour Clo. *W'fd* —6G **5**
Ballards Wlk. *Bas* —5G **11**
Balmerino Av. *Ben* —6J **15**
Balmoral Av. *Corr* —3G **33**
Balmoral Av. *Stan H* —4E **32**
Balmoral Clo. *Bill* —6J **3**

Balmoral Gdns. *Hock* —5C **8**
Balmoral Ho. Wclf S —5C **28**
   (off Balmoral Rd.)
Balmoral Rd. *Wclf S* —5C **28**
Balmoral Ter. Wclf S —3B **28**
   (off Fairfax Dri.)
Balstonia Dri. *Stan H* —2F **33**
Baltic Av. *Sth S* —5E **28**
Bance Clo. *Wclf S* —2K **27**
Bannister Grn. *W'fd* —5G **5**
Banyard Way. *R'fd* —7J **9**
Barbara Av. *Can I* —5D **34**
Barbara Clo. *R'fd* —2C **18**
Barclay Rd. *Bas* —3J **13**
Bardenville Rd. *Can I* —5J **35**
Bardfield. *Bas* —7C **12**
Bardfield Way. *Ray* —1G **15**
Barge Pier Rd. *Shoe* —7E **30**
Barham M. *Sth S* —3A **30**
Barley Clo. *Bas* —2C **20**
Barleylands Rd. *Bill & Bas* —1H **11**
Barling Rd. *Gt W* —1K **29**
Barnaby Way. *Lain* —5F **11**
Barnard Rd. *Lgh S* —3D **26**
Barnards Av. *Can I* —4H **35**
Barnards Clo. *Bas* —3C **22**
Barncombe Clo. *Ben* —6D **14**
Barnet Pk. Rd. *Runw* —1H **5**
Barneveld Av. Can I —5J **35**
   (off Winterswyk Av.)
Barn Hall Cotts. *W'fd* —1D **4**
Barnstaple Clo. *Sth S* —4A **30**
Barnstaple Rd. *Sth S* —4A **30**
Barnwell Dri. *Hock* —5D **8**
Barnyard, The. *Bas* —1C **20**
Barons Ct. Rd. *Ray* —5G **7**
Barons Way. *Bas* —1D **20**
Barra Glade. *W'fd* —6H **5**
Barrie Pavement. *W'fd* —6F **5**
Barrington Clo. *Bas* —4D **12**
Barrington Clo. *Shoe* —3E **30**
Barrington Gdns. *Bas* —4D **12**
Barringtons Clo. *Ray* —1K **15**
Barrowsand. *Sth S* —6B **30**
Barrymore Wlk. *Ray* —2B **16**
Barstable Rd. *Stan H* —5D **32**
Bartletts. *Ray* —4C **16**
Bartley Clo. *Ben* —6B **14**
Bartley Rd. *Ben* —6B **14**
Bartlow End. *Bas* —4F **13**
Bartlow Side. *Bas* —4F **13**
Barton Av. *Hull* —2J **7**
Baryta Clo. *Stan H* —6C **32**
Baryta Ct. Lgh S —5G **27**
   (off Rectory Gro.)
Basildon Cen., The. *Bas* —6J **11**
Basildon Dri. *Bas* —5E **10**
Basildon Rise. *Lain* —4G **11**
Basildon Rd. *Bas* —4G **11**
Bassenthwaite Rd. *Ben* —6E **14**
Batavia Rd. *Can I* —4B **34**
Battleswick. *Bas* —3C **12**
Baxter Av. *Sth S* —4D **28**
Bay Clo. *Can I* —6F **35**
Beach Av. *Lgh S* —4J **27**
Beach Ct. *Gt W* —1J **31**
Beach Ct. *Wclf S* —6A **28**
Beaches Clo. *Hock* —5G **9**
Beach Ho. Gdns. *Can I* —6J **35**
Beach Rd. *Can I* —4H **35**
Beach Rd. *Shoe* —7F **31**
Beach Rd. *Sth S* —6G **29**
Beachway. *Can I* —6F **35**
Beambridge. *Bas* —6E **12**
Beambridge Ct. *Bas* —6E **12**
Beambridge M. *Bas* —6E **12**
Beambridge Pl. *Bas* —6E **12**
Beams Clo. *Bill* —7G **3**
Beams Way. *Bill* —7G **3**
Bearsted Dri. *Pits* —7G **13**
Beatrice Av. *Can I* —4F **35**

Beatrice Clo. *Hock* —5D **8**
Beatrice Littlewood Ho. *Can I*
   —5E **34**
   (off Kitkatts Rd.)
Beatty La. *Bas* —6C **12**
Beauchamps Dri. *W'fd* —4H **5**
Beaufort Rd. *Bill* —5D **2**
Beaufort St. *Sth S* —4H **29**
Beaver Tower. *Lgh S* —6G **17**
Beazley End. *W'fd* —5G **5**
Bebington Clo. *Bill* —4E **2**
Becket Clo. *R'fd* —5K **9**
Beckett Dri. *Stan H* —3D **32**
Becketts. *Bas* —6C **10**
Beck Farm Clo. *Can I* —5K **35**
Beckney Av. *Hock* —2E **8**
Beck Rd. *Can I* —5K **35**
Bedford Clo. *Ray* —3K **15**
Bedford Pl. *Can I* —4D **34**
Bedford Rd. *Bas* —6D **10**
Bedloes Av. *Raw* —4C **6**
Beecham Ct. *Bas* —4E **10**
Beech Av. *Ray* —1K **15**
Beechcombe. *Corr* —2H **33**
Beechcroft Rd. *Can I* —5C **34**
Beeches Rd. *Raw* —1C **6**
Beech Lodge. *Shoe* —5E **30**
Beechmont Gdns. *Sth S* —1C **28**
Beech Rd. *Bas* —7C **12**
Beech Rd. *Ben* —3K **25**
Beech Rd. *Hull* —1J **7**
Beecroft Cres. *Can I* —2E **34**
Beedell Av. *Wclf S* —4B **28**
Beedell Av. *W'fd* —5H **5**
Beehive La. *Bas* —6K **11**
Beeleigh Av. *Bas* —3E **20**
Beeleigh Clo. *Sth S* —7C **18**
Beeleigh Cross. *Bas* —5C **12**
Beeleigh E. *Bas* —4C **12**
Beeleigh W. *Bas* —5B **12**
Beke Hall Chase N. *Ray* —7C **6**
Beke Hall Chase S. *Ray* —7C **6**
Belchamps Rd. *W'fd* —3H **5**
Belchamps Way. *Hock* —6E **8**
Beldowes. *Bas* —7B **12**
Belfairs Clo. *Lgh S* —3F **27**
Belfairs Ct. Lgh S —6D **16**
   (off Southend Arterial Rd.)
Belfairs Dri. *Lgh S* —3F **27**
Belfairs Pk. Clo. *Lgh S* —7E **16**
Belfairs Pk. Dri. *Lgh S* —7D **16**
Belgrave Clo. *Lgh S* —5D **16**
Belgrave Rd. *Bill* —3E **2**
Belgrave Rd. *Lgh S* —6D **16**
Bellevue Av. *Sth S* —5G **29**
Bellevue Pl. *Sth S* —5G **29**
Bellevue Rd. *Bill* —5D **2**
Bellevue Rd. *Sth S* —4G **29**
Bellfield. *Bas* —2C **22**
Bell Hill. *Bill* —7F **3**
Bell Hill Clo. *Bill* —7F **3**
Bell Ho. *Gt W* —1G **31**
Bellhouse Cres. *Lgh S* —7F **17**
Bellhouse La. *Lgh S* —1F **27**
Bellhouse Rd. *Lgh S* —7F **17**
Bellingham La. *Ray* —2K **15**
Bellmaine Av. *Corr* —3F **33**
Bells Hill Rd. *Van* —3K **21**
Belmont Av. *W'fd* —4D **4**
Belmont Clo. *W'fd* —4D **4**
Belstedes. *Bas* —6F **11**
Belton Bri. *Lgh S* —5F **27**
Belton Corner. *Lgh S* —5F **27**
Belton Gdns. *Lgh S* —5E **26**
Belton Way E. *Lgh S* —5E **26**
Belton Way W. *Lgh S* —5D **26**
Belvedere Av. *Hock* —5C **8**
Benderloch. *Can I* —4C **34**
Benfleet Pk. Rd. *Ben* —2B **24**
Benfleet Rd. *Ben* —3G **25**
Benham Wlk. *Bas* —4G **13**
Bentalls. *Bas* —3J **11**
Bentalls Clo. *Sth S* —1E **28**

Bentleys, The. *Sth S* —5J **17**
Benton Gdns. *Stan H* —2F **33**
Benvenue Av. *Lgh S* —6H **17**
Berberis Clo. *Lang H* —1B **20**
Berdens. *Bas* —7B **12**
Berens Clo. *W'fd* —2H **5**
Beresford Clo. *Had* —1K **25**
Beresford Ct. *Bill* —2D **2**
Beresford Gdns. *Ben* —1J **25**
Beresford Mans. *Sth S* —6G **29**
  (off Beresford Rd.)
Beresford Rd. *Sth S* —6G **29**
Berg Av. *Can I* —3H **35**
Berkeley Dri. *Bill* —2E **2**
Berkeley Gdns. *Lgh S* —4C **26**
Berkley Hill. *Corr* —3E **32**
Berkshire Clo. *Lgh S* —7E **16**
Berners Wlk. *Bas* —4C **12**
Berry Clo. *Ben* —7D **10**
Berry Clo. *W'fd* —5D **4**
Berry La. *Ben* —7D **10**
Berrys Arc. *Ray* —2K **15**
  (off High St. Rayleigh,)
Berwood Rd. *Corr* —4F **33**
Betjeman Clo. *Ray* —1B **16**
Betjeman M. *Sth S* —3E **28**
Betony Cres. *Bill* —2D **2**
Betoyne Clo. *Bill* —5H **3**
Bett's La. *Hock* —5D **8**
Beveland Rd. *Can I* —5K **35**
Beverley Av. *Can I* —5D **34**
Beverley Gdns. *Sth S* —1C **28**
Beverley Rise. *Bill* —6G **3**
Bevin Wlk. *Stan H* —5D **32**
Bewley Ct. *Sth S* —3J **29**
Bibby Clo. *Corr* —4G **33**
Bickenhall. *Shoe* —4D **30**
Biddenden Ct. *Bas* —6G **13**
Bideford Clo. *Wclf S* —7J **17**
Billet La. *Lgh S* —5F **27**
Billet La. *Stan H* —6D **32**
Bilton Rd. *Ben* —2A **26**
Bircham Rd. *Sth S* —3E **28**
Birch Clo. *Ben* —5B **14**
Birch Clo. *Can I* —5D **34**
Birch Clo. *Ray* —1J **15**
Birche Clo. *Lgh S* —1G **27**
Birches, The. *Ben* —4C **14**
Birch Grn. *W'fd* —4F **5**
Birchwood. *Ben* —5B **14**
Birchwood Dri. *Lgh S* —3J **27**
Birchwood Rd. *Corr* —2H **33**
Birs Clo. *W'fd* —2F **5**
Biscay. *Sth S* —5J **17**
Bishop Ho. *Sth S* —6K **17**
Bishops Clo. *Bas* —2E **12**
Bishops Ct. *Can I* —5H **35**
  (off Maurice Rd.)
Bishops Rd. *Stan H* —4F **33**
Bishops Rd. *W'fd* —1H **13**
Bishopsteignton. *Shoe* —4C **30**
Blackdown. *Wclf S* —4C **28**
Blackgate Rd. *Shoe* —5G **31**
Blackheath Chase. *Bas* —5F **21**
Blackmore Av. *Can I* —6F **35**
Blackmores. *Bas* —6B **10**
Blackmore Wlk. *Ray* —2C **16**
Blacksmith Clo. *Bill* —2F **3**
Blackthorne Ct. *Lang H* —1C **20**
Blackthorne Rd. *Can I* —5G **35**
Blackthorn Rd. *Hock* —3F **9**
Blackwater. *Ben* —1F **25**
Blackwater Clo. *Shoe* —3E **30**
Blake Hall Dri. *W'fd* —5J **5**
Blatches Chase. *Lgh S & Sth S* —6H **17**
Blenheim Chase. *Lgh S* —2F **27**
Blenheim Clo. *Hock* —3E **8**
Blenheim Cres. *Lgh S* —2G **27**
Blenheim Ho. *Lgh S* —2H **27**
Blenheim M. *Lgh S* —2G **27**

Blenheim Pk. Clo. *Lgh S* —1H **27**
Blountswood Rd. *Hock* —2K **7**
  (in three parts)
Blower Clo. *Ray* —1B **16**
Bluebell Wood. *Bill* —3B **2**
Bluehouses. *Bas* —7J **11**
Blyth Av. *Shoe* —5C **30**
Blythe Rd. *Stan H* —3E **32**
Blyth Way. *Ben* —5C **14**
Blyton Clo. *W'fd* —6F **5**
Bobbing Clo. *R'fd* —2D **18**
Bockingham Grn. *Bas* —4E **12**
Bodiam Clo. *Pits* —6F **13**
Bohemia Chase. *Lgh S* —7E **16**
Bohum Link. *Lain* —6A **10**
Boleyn Clo. *Bill* —2E **2**
Boleyn Clo. *Lgh S* —5E **16**
Bolney Dri. *Lgh S* —5E **16**
Bommel Av. *Can I* —5K **35**
Bonchurch Av. *Lgh S* —3F **27**
Bonnygate. *Bas* —5B **12**
Bootham Clo. *Bill* —6D **2**
Bootham Rd. *Bill* —6D **2**
Boreham Clo. *W'fd* —6K **5**
Borman Clo. *Lgh S* —6J **17**
Borrett Av. *Can I* —4E **34**
Borrowdale Clo. *Ben* —6F **15**
Borrowdale Rd. *Ben* —6F **15**
  (in two parts)
Borwick La. *Cray H & W'fd* —7A **4**
  (in three parts)
Boscombe Av. *W'fd* —3B **4**
Boscombe Rd. *Sth S* —4F **29**
Boston Av. *Ray* —7E **6**
Boston Av. *Sth S* —4D **28**
  (in two parts)
Boswell Av. *R'fd* —6K **9**
Bosworth Clo. *Hock* —7F **9**
Bosworth Rd. *Lain* —5E **16**
Botelers. *Bas* —1G **21**
Bouldrewood Rd. *Ben* —7B **14**
Boulevard, The. *R'fd* —1D **18**
Boult Rd. *Bas* —4E **10**
Boundary Rd. *Lgh S* —4D **16**
Bourne Av. *Bas* —4C **10**
Bourne Clo. *Bas* —4C **10**
Bournemouth Pk. Rd. *Sth S* —2F **29**
Bournes Grn. Chase. *Sth S & Shoe* —3A **30**
Bovinger Way. *Sth S* —4K **29**
Bowbank Clo. *Shoe* —3F **31**
Bower La. *Bas* —4C **12**
Bowers Ct. Dri. *Bas* —7K **13**
Bowers Pk. Cotts. *Bas* —7J **13**
Bowers Rd. *Ben* —7D **14**
Bowfell Dri. *Bas* —1C **20**
Bowlers Croft. *Bas* —2D **12**
Bowman Av. *Lgh S* —6D **16**
Box Clo. *Lain* —3F **11**
Boxford Clo. *Ray* —1F **15**
Boyce Grn. *Ben* —3D **24**
Boyce Hill Clo. *Lgh S* —7D **16**
Boyce Rd. *Shoe* —4H **31**
Boyce Rd. *Stan H* —4C **32**
Boyce View Dri. *Ben* —3C **24**
Boyd Ct. *W'fd* —6H **5**
Boyden Clo. *Sth S* —3K **29**
Boyton Clo. *Ben* —7G **15**
Boytons. *Bas* —6G **11**
Bracelet Clo. *Corr* —2F **33**
Brackendale. *Bill* —4H **3**
Brackendale Av. *Bas* —1F **23**
Brackendale Clo. *Hock* —4E **8**
Brackendale Ct. *Bas* —1G **23**
Bracken Dell. *Ray* —2A **16**
Bracken Way. *Ben* —6G **15**
Brackley Cres. *Bas* —1F **23**
Bradbourne Way. *Pits* —7G **13**
Bradford Bury. *Lgh S* —6E **16**
Bradley Av. *Ben* —7F **15**
Bradley Clo. *Ben* —7F **15**

Bradley Clo. *Can I* —3E **34**
Bradley Grn. *Bas* —3G **13**
Bradley Link. *Ben* —7F **15**
Bradley Way. *R'fd* —3C **18**
Braemar Cres. *Lgh S* —3C **26**
Braemar Wlk. *Pits* —6F **13**
Braemore. *Can I* —3D **34**
Braiswick Pl. *Lain* —4D **10**
Bramble Clo. *Lgh S* —5D **16**
Bramble Cres. *Ben* —7C **16**
Bramble Hall La. *Ben* —7C **16**
Bramble Rd. *Ben* —6A **16**
Bramble Rd. *Can I* —5G **35**
Bramble Rd. *Lgh S* —5D **16**
Brambles, The. *Lain* —4C **10**
Bramble Tye. *Lain* —3H **11**
Bramerton Rd. *Hock* —5D **8**
Bramfield Rd. E. *Ray* —2C **16**
Bramfield Rd. W. *Ray* —2B **16**
Bramley Ct. *Ben* —3B **26**
Bramley Gdns. *Bas* —4E **10**
Bramleys. *Stan H* —4D **32**
Bramleys, The. *R'fd* —6K **9**
Brampstead. *Bas* —6C **10**
Brampton Clo. *Corr* —2G **33**
Brampton Clo. *Wclf S* —1J **27**
Bramston Link. *Lain* —5A **10**
Bramston Way. *Lain* —6A **10**
Branch Rd. *Ben* —3A **26**
Brandenburg Rd. *Can I* —3H **35**
Brandon Clo. *Bill* —2E **2**
Branksome Av. *Hock* —3E **8**
Branksome Av. *Stan H* —3D **32**
Branksome Av. *W'fd* —4B **4**
Branksome Clo. *Stan H* —4C **32**
Branksome Rd. *Sth S* —4F **29**
Branscombe Gdns. *Sth S* —4B **30**
Branscombe Sq. *Sth S* —3B **30**
Branscombe Wlk. *Sth S* —3B **30**
Brathertons Ct. *Bill* —4D **2**
Braxted Clo. *R'fd* —7J **9**
Braxteds. *Bas* —6C **10**
Braybrooke. *Bas* —6K **11**
Bray Ct. *Shoe* —2E **30**
Brayers M. *R'fd* —3D **18**
Brays La. *R'fd* —6K **9**
Bread and Cheese Hill. *Ben* —7E **14**
Break Egg Hill. *Bill* —4H **3**
Breams Field. *Bas* —1E **20**
Brecon. *Wclf S* —4C **28**
Brecon Clo. *Pits* —4G **13**
Brempsons. *Bas* —5J **11**
Brendon. *Bas* —7F **15**
Brendon Way. *Wclf S* —7J **17**
Bretons. *Bas* —6G **11**
Brettenham Dri. *Sth S* —5J **29**
Brewster Clo. *Can I* —5E **34**
Briar Clo. *Bill* —6B **2**
Briar Clo. *Hock* —7F **9**
Briar Mead. *Bas* —4D **10**
Briarswood. *Can I* —3E **34**
Briar View. *Bill* —6B **2**
Briarwood Clo. *Lgh S* —7F **17**
Briarwood Dri. *Lgh S* —7F **17**
Briary, The. *W'fd* —4D **4**
Briceway. *Corr* —4F **33**
Brick Cotts. *W'fd* —1J **5**
Brickfield Clo. *Van* —3B **22**
Brickfield Rd. *Bas* —3B **12**
Brickfields Way. *R'fd* —3E **18**
Bridge Clo. *Shoe* —5E **30**
Bridgecote La. *Bas* —2H **11**
Bridge Cotts. *Shoe* —4D **30**
Bridge Ho. Clo. *W'fd* —4E **4**
Bridge Pde. *Bill* —4D **2**
Bridge Rd. *Gt W* —1K **31**
Bridge Rd. *W'fd* —4J **5**
Bridge St. *Lain* —2G **11**
Bridgwater Dri. *Wclf S* —7H **17**
Bridleway. *Bill* —1H **3**
Bridle Way, The. *Bas* —2G **21**
Brighton Av. *Sth S* —5H **29**

Brighton Rd. *Wclf S* —5D **28**
Brightside. *Bill* —3C **2**
Brightside Clo. *Bill* —3C **2**
Brightwell Av. *Wclf S* —3B **28**
Brimsdown Av. *Bas* —6D **10**
Brindles. *Can I* —4D **34**
Brinkworth Clo. *Hock* —5F **9**
Briscoe Rd. *Pits* —5F **13**
Bristol Clo. *Ray* —6G **7**
Bristol Rd. *Sth S* —6B **18**
Britannia Clo. *Bill* —5F **3**
Britannia Ct. *Bas* —3H **13**
Britannia Gdns. *Wclf S* —5A **28**
Britannia Lodge. *Wclf S* —5A **28**
Britannia Rd. *Wclf S* —5A **28**
Britten Clo. *Bas* —7C **10**
Britton Ct. *Ray* —3K **15**
Brixham Clo. *Ray* —6H **7**
Broad Clo. *Hock* —5E **8**
Broadclyst Av. *Lgh S* —7F **17**
Broadclyst Clo. *Sth S* —3A **30**
Broadclyst Gdns. *Sth S* —3A **30**
Broad Grn. *Bas* —5A **12**
Broadhope Av. *Stan H* —7C **32**
Broadlands. *Ben* —6F **15**
Broadlands Av. *Hock* —4F **9**
Broadlands Av. *Ray* —1K **15**
Broadlands Rd. *Hock* —5F **9**
Broadlawn. *Lgh S* —1E **26**
Broadmayne. *Bas* —6J **11**
Broad Oaks. *W'fd* —5G **5**
Broad Oak Way. *Ray* —3A **16**
Broad Pde. *Hock* —5F **9**
Broad Wlk. *Hock* —5F **9**
Broadwalk. *W'fd* —5F **5**
Broadwater Grn. *Lain* —6B **10**
Broad Way. *Hock* —4F **9**
Broadway. *Lgh S* —5G **27**
Broadway N. *Pits* —7F **13**
Broadway, The. *Lain* —5D **10**
Broadway, The. *Sth S* —5B **30**
Broadway, The. *W'fd* —3F **5**
Broadway W. *Lgh S* —5F **27**
Brockenhurst Dri. *Stan H* —7C **32**
Brock Hill. *Runw* —1E **4**
Brocksford Av. *Ray* —3B **16**
Brockwell Wlk. *W'fd* —5H **5**
Brodie Rd. *Shoe* —4G **31**
Brodie Wlk. *W'fd* —6H **5**
Bromfords Clo. *W'fd* —6D **4**
Bromfords Dri. *W'fd* —6D **4**
Bromley M. *Ray* —1G **15**
Brompton Clo. *Bill* —2E **2**
Bronte M. *Sth S* —3F **29**
Brook Clo. *R'fd* —4E **18**
Brook Dri. *Fob* —4A **22**
Brook Dri. *W'fd* —6E **4**
Brookfields. *Lgh S* —7F **17**
Brookfields Clo. *Lgh S* —7F **17**
Brooklands. *W'fd* —4D **4**
Brooklands Av. *Lgh S* —6G **17**
Brooklands Pk. *Lain* —6B **10**
Brooklands Sq. *Can I* —5C **34**
Brooklyn Dri. *Ray* —6H **7**
Brook Mead. *Bas* —5D **10**
Brook Rd. *Ben* —4C **24**
Brook Rd. *Ray* —4J **15**
Brook Rd. Ind. Est. *Ray* —4K **15**
Brookside. *Bill* —1G **3**
Brookside. *Can I* —3E **34**
Brookside. *Hock* —7F **9**
Brookside. *W'fd* —1G **3**
Brookside Av. *Gt W* —2J **31**
Brookside Clo. *Bill* —1G **3**
Brookside Ind. Est. *Wclf S* —3B **28**
Brook Wlk. *Wclf S* —3J **27**
Broome Clo. *Bill* —2H **3**
Broome Rd. *Bill* —2H **3**
Broomfield. *Ben* —1K **25**
Broomfield Av. *Lgh S* —7H **17**
Broomfield Av. *Ray* —1G **15**
Broomfield Grn. *Can I* —3D **34**

Broomfields. *Bas* —6E **12**
Broomfields Ct. *Bas* —6E **12**
Broomfields M. *Bas* —6E **12**
Broomfields Pl. *Bas* —6E **12**
Broom Rd. *Hull* —1J **7**
Broomways. *Gt W* —1J **31**
Brougham Clo. *Gt W* —1G **31**
Broughton Rd. *Ben* —3B **26**
Browning Av. *Sth S* —3E **28**
Brownlow Bend. *Bas* —6B **12**
Brownlow Cross. *Bas* —6B **12**
Brownlow Grn. *Bas* —6B **12**
Browns Av. *Runw* —1H **5**
Broxted Dri. *W'fd* —5G **5**
Bruce Gro. *W'fd* —5J **5**
Bruges Rd. *Can I* —6G **35**
Brundish. *Bas* —7E **12**
Brunel Rd. *Ben* —5D **14**
Brunel Rd. *Lgh S* —5E **16**
Brunswick Rd. *Sth S* —5H **29**
Brussum Rd. *Can I* —6H **35**
Brust Rd. *Can I* —6H **35**
Bruton Av. *Wclf S* —7J **17**
Bryant Av. *Sth S* —7J **29**
Bryn Farm Clo. *Bas* —4A **12**
Buchanan Gdns. *W'fd* —6G **5**
Buckerills. *Bas* —7E **12**
Buckingham Hill Rd. *Stan H*
—7A **32**
Buckingham Rd. *Hock* —5D **22**
Buckingham Rd. *Lain* —4G **11**
Buckingham Sq. *W'fd* —6J **5**
Buckland. *Shoe* —3C **30**
Buckley Clo. *Corr* —2F **33**
Buckwins Sq. *Burnt M* —3H **13**
Buckwyns. *Bill* —1C **2**
Buckwyns Chase. *Bill* —1D **2**
Buckwyns Ct. *Bill* —3D **2**
Budna Rd. *Can I* —3D **34**
Bull Clo. *Van* —7C **12**
Buller Rd. *Bas* —5D **10**
Bull Farm Cotts. *Bas* —7H **13**
Bull La. *Hock* —5C **8**
Bull La. *Ray* —2K **15**
Bullwood App. *Hock* —6B **8**
Bullwood Hall La. *Hock* —6A **8**
Bullwood Rd. *Hock* —6D **8**
Bulow Av. *Can I* —5F **35**
Bulphan Clo. *W'fd* —5G **5**
Bulphan View. *Dun* —7A **10**
Bulwark Rd. *Shoe* —4E **30**
Bunters Av. *Shoe* —6C **30**
Bunting La. *Bill* —6G **3**
Burches. *Bas* —3G **11**
Burches Mead. *Ben* —5G **15**
Burches Rd. *Ben* —3E **14**
Burdett Av. *Wclf S* —5C **28**
Burdett Rd. *Sth S* —7G **29**
Buren Av. *Can I* —5J **35**
Burfield Clo. *Lgh S* —6H **17**
Burfield Rd. *Lgh S* —6H **17**
Burges Clo. *Sth S* —6C **30**
Burges Rd. *Sth S* —6C **30**
Burgess Av. *Stan H* —6E **32**
Burges Ter. *Sth S* —7K **29**
Burghstead Clo. *Bill* —6E **2**
Burghstead Ct. *Bill* —6E **2**
(off Burghstead Clo.)
Burgundy Gdns. *Bas* —4F **13**
Burleigh Mans. *Wclf S* —5A **28**
(off Station Rd.)
Burleigh Sq. *Sth S* —4B **30**
Burlescoombe Clo. *Sth S* —4A **30**
Burlescoombe Leas. *Sth S* —3B **30**
Burlescoombe Rd. *Sth S* —3A **30**
Burlington Ct. *Bas* —4F **13**
Burlington Gdns. *Ben* —2B **26**
Burlington Gdns. *Hull* —2K **7**
Burnaby Rd. *Sth S* —6G **29**
Burne Av. *W'fd* —5C **4**

Burnham Rd. *Hull* —1J **7**
Burnham Rd. *Lgh S* —3E **26**
Burns Av. *Bas* —7F **13**
Burnside. *Can I* —3E **34**
Burntwood Clo. *Bill* —5D **2**
Burr Clo. *Lang H* —7A **10**
Burr Hill Chase. *Sth S* —2C **28**
Burrows Way. *Ray* —3J **15**
Burr's Way. *Corr* —3H **33**
Burstead Dri. *Bill* —6B **2**
Burton Clo. *Corr* —2F **33**
Burwell Av. *Can I* —3D **34**
Bury Farm La. *Cray H* —1B **12**
Bush Hall Rd. *Bill* —2F **3**
Bushy Mead. *Bas* —4D **10**
Butlers Gro. *Bas* —2D **10**
Butneys. *Bas* —5K **11**
Buttercup Clo. *Bill* —3E **2**
Butterys. *Sth S* —5J **29**
Butts La. *Stan H* —6B **32**
Butts Rd. *Shoe* —3J **31**
Butts Rd. *Stan H* —6C **32**
Buxton Av. *Lgh S* —2C **26**
Buxton Clo. *Lgh S* —2C **26**
Buxton Link. *Lain* —6A **10**
Buxton Sq. *Lgh S* —2C **26**
Buyl Av. *Can I* —3F **35**
Byfield. *Lgh S* —5H **17**
Byfletts. *Bas* —1D **22**
Byford Clo. *Ray* —1A **16**
By-Pass Rd. *Horn H* —5A **32**
Byrd Ct. *Bas* —4E **10**
Byrd Way. *Stan H* —4C **32**
Byrne Dri. *Sth S* —7C **18**
Byron Av. *Sth S* —3F **29**
Byron Clo. *Can I* —5G **35**
Byron Ct. *Bas* —5D **10**

C

Cabborns Cres. *Stan H* —7D **32**
Cabinet Way. *Lgh S* —6E **16**
Cadogan Ter. *Bas* —5G **13**
Caernarvon Clo. *Hock* —5D **8**
Caister Dri. *Pits* —6F **13**
Caladonia La. *W'fd* —6H **5**
Caldwell Rd. *Stan H* —6B **32**
Calvert Dri. *Bas* —3G **13**
Cambria Clo. *Can I* —5A **34**
Cambridge Clo. *Lang H* —7B **10**
Cambridge Ct. *Sth S* —6D **28**
Cambridge Gdns. *R'fd* —6J **9**
Cambridge Rd. *Can I* —5D **34**
Cambridge Rd. *Wclf S & Sth S*
—6C **28**
Camelot Gdns. *Bas* —4G **13**
Cameron Clo. *Lgh S* —3E **26**
Cameron Clo. *Stan H* —7H **21**
Cameron Pl. *W'fd* —6H **5**
Camomile Dri. *W'fd* —6F **5**
Campbell Clo. *W'fd* —6F **5**
Camperdown Rd. *Can I* —3G **35**
Camper M. *Sth S* —7H **29**
Camper Rd. *Sth S* —7H **29**
Campfield Rd. *Shoe* —6E **30**
Campions. *The. Sth S* —4C **30**
Candlemakers, The. *Sth S* —7E **18**
Candy Ter. *Sth S* —6G **29**
(off Prospect Clo.)
Canewdon Clo. *W'fd* —1F **5**
Canewdon Gdns. *W'fd* —1F **5**
Canewdon Rd. *R'fd* —3J **9**
Canewdon Rd. *Wclf S* —5B **28**
Canewdon View Rd. *R'fd* —5K **9**
Canford. *W'fd* —3B **4**
Cannon Clo. *Stan H* —5F **33**
Canon Ct. *Bas* —2E **12**
Canonsleigh Cres. *Lgh S* —4G **27**
Canterbury Av. *Sth S* —2H **29**
Canterbury Clo. *Bas* —4D **12**
Canterbury Clo. *Ray* —6G **7**

Canters, The. *Ben* —7H **15**
Canvey Rd. *Bas* —6K **13**
Canvey Rd. *Can I* —4B **34**
Canvey Rd. *Lgh S* —4D **26**
Canvey Way. *Bas & Can I*
—2A **24**
Capadocia St. *Sth S* —7J **29**
Capel Clo. *Stan H* —5E **32**
Capelston. *Bas* —6H **11**
Capel Ter. *Sth S* —6E **28**
Capricorn Cen. *Bas* —3D **12**
Cardigan Av. *Wclf S* —2A **28**
Carisbrooke Clo. *Pits* —6F **13**
Carisbrooke Dri. *Corr* —3G **33**
Carisbrooke Wclf S —4C **28**
Carlingford Dri. *Wclf S* —2A **28**
Carlisle Way. *Pits* —6F **13**
Carlton Av. *Wclf S* —1K **27**
Carlton Dri. *Ben* —1J **25**
Carlton Dri. *Lgh S* —4H **27**
Carlton Rd. *Bas* —4J **13**
Carlton Rd. *W'fd* —1E **4**
Carlyle Gdns. *Bill* —2D **2**
Carlyle Gdns. *W'fd* —6G **5**
Carmania Clo. *Shoe* —3F **31**
Carnarvon Rd. *Sth S* —4D **28**
Carne Rasch Ct. *Bas* —7D **12**
(off Ash Tree Wlk.)
Carnival Gdns. *Lgh S* —1F **27**
Carol Clo. *Lain* —5E **10**
Carol Ct. *Lain* —5F **11**
Caroline's Clo. *Sth S* —7C **18**
Caro Rd. *Can I* —5G **35**
Carousel Steps. *Sth S* —6G **29**
(off Hawtree Clo.)
Carpenter Clo. *Bill* —4D **2**
Carroll Gdns. *W'fd* —6F **5**
Carruthers Clo. *W'fd* —2F **5**
Carruthers Dri. *W'fd* —2F **5**
Carson Rd. *Bill* —3H **3**
Carte Pl. *Lang H* —7C **10**
Carter Ho. *Stan H* —6B **32**
Cartlodge Av. *W'fd* —3G **5**
Cartwright Rd. *Ben* —5D **14**
Carvers Wood. *Bill* —6A **2**
Cascades. *Sth S* —6G **29**
(off Prospect Clo.)
Cashiobury Ter. *Sth S* —6D **28**
Cashmere Way. *Bas* —3B **22**
Cassel Av. *Can I* —3G **35**
Castle Av. *Ben* —4K **25**
Castle Clo. *Ray* —3J **15**
Castle Clo. *Shoe* —4G **31**
Castle Ct. *Ben* —3A **26**
Castle Ct. *Ray* —3J **15**
Castledon Rd. *D'ham & W'fd*
—1C **4**
Castle Dri. *Lgh S* —5D **26**
Castle Dri. *Ray* —3J **15**
Castle La. *Ben* —4K **25**
Castle Rd. *Ben* —3K **25**
Castle Rd. *Ray* —3J **15**
Castle Ter. *Ray* —2J **15**
Castleton Rd. *Sth S* —4J **29**
Castle View Rd. *Can I* —2E **34**
Castle Wlk. *Can I* —3E **34**
Castle Wlk. *Pits* —6G **13**
Caswell Clo. *Corr* —3G **33**
Cater Wood. *Bill* —4F **3**
Cathedral Dri. *Lain* —5E **10**
Catherine Lodge. *Sth S* —4D **28**
Catherine Rd. *Bas* —7H **13**
Catherine Rd. *Ben* —1D **24**
Cattawade End. *Bas* —5B **12**
Cattawade Link. *Bas* —5B **12**
Caulfield Rd. *Shoe* —5C **30**
Caustonway. *Ray* —7H **7**
Cavell Rd. *Bill* —6G **3**
Cavendish Gdns. *Wclf S* —3K **27**
Cavendish Rd. *Hock* —2F **9**
Cavendish Way. *Bas* —3F **11**
Caversham Av. *Shoe* —2E **30**

Caversham Pk. Av. *Ray* —7G **7**
Cecil Ct. *Sth S* —2C **28**
Cecil Way. *Ray* —2B **16**
Cedar Av. *W'fd* —6E **4**
Cedar Clo. *Ray* —3B **16**
Cedar Clo. *Sth S* —3E **28**
Cedar Dri. *Hull* —1J **7**
Cedar Hall Gdns. *Ben* —6G **15**
Cedar M. *Hock* —5C **8**
Cedar Pk. Clo. *Ben* —6G **15**
Cedar Rd. *Ben* —6G **15**
Cedar Rd. *Can I* —4D **34**
Cedars. *Stan H* —5E **32**
Cedars, The. *Gt W* —1H **31**
Celandine Clo. *Bill* —3D **2**
Central Av. *Bas* —1A **20**
Central Av. *Ben* —7A **16**
Central Av. *Bill* —2G **3**
Central Av. *Can I* —4C **34**
Central Av. *Corr* —3G **33**
Central Av. *Hull* —3K **7**
Central Av. *R'fd* —6J **9**
Central Av. *Sth S* —4F **29**
Central Av. *Stan H* —2E **32**
Central Clo. *Ben* —1A **26**
Central Rd. *Stan H* —6D **32**
Central Wall. *Can I* —2D **34**
(in four parts)
Central Wall Cotts. *Can I* —3F **35**
Central Wall Rd. *Can I* —3F **35**
Centre Pl. *Sth S* —6G **29**
(off Prospect Clo.)
Centurion Clo. *Shoe* —4F **31**
Ceylon Rd. *Wclf S* —5B **28**
Chadacre Rd. *Sth S* —3B **30**
Chadwick Ct. *Wclf S* —5A **28**
Chadwick Rd. *Wclf S* —5A **28**
Chaffinch Clo. *Shoe* —4E **30**
Chaffinch Cres. *Bill* —6G **3**
Chaingate Av. *Sth S* —3J **29**
Chale Ct. *Stan H* —7C **32**
Chalfont Clo. *Lgh S* —1F **27**
Chalice Clo. *Bas* —6C **12**
Chalk End. *Bas* —6E **12**
Chalk Rd. *Can I* —2E **34**
Chalkwell Av. *Wclf S* —6K **27**
Chalkwell Bay Flats. *Lgh S* —5J **27**
(off Undercliff Gdns.)
Chalkwell Esplanade. *Wclf S*
—5J **27**
Chalkwell Lodge. *Wclf S* —4A **28**
Chalkwell Pk. Dri. *Lgh S* —4H **27**
Challacombe. *Sth S* —3C **30**
Challock Lees. *Bas* —7G **13**
Chalvedon Av. *Pits* —5H **13**
Chalvedon Sq. *Pits* —6E **12**
Chamberlain Av. *Can I* —4G **35**
Chamberlain Av. *Corr* —2G **33**
Champion Av. *Stan H* —4E **32**
Champion Clo. *W'fd* —5F **5**
Champlain Av. *Can I* —3D **34**
Chancel Clo. *Ben* —6C **14**
(in two parts)
Chancel Clo. *Lain* —5E **10**
Chancellor Rd. *Sth S* —6F **29**
Chandlers Way. *Sth S* —7D **18**
Chandos Pde. *Ben* —2B **26**
Chanton Clo. *Lgh S* —5F **17**
Chantry Chase. *Bill* —5F **3**
Chantry Cres. *Stan H* —6C **32**
Chantry La. *Lain* —5E **10**
Chantry Way. *Bill* —5F **3**
Chapel Ct. *Bill* —5F **3**
Chapel La. *Ben* —3J **25**
Chapel La. *Gt W* —1H **31**
Chapel Rd. *Shoe* —6E **30**
Chapel Row. *Bill* —5F **3**
Chapel St. *Bill* —5E **2**
Chaplin Clo. *Bas* —3G **11**
Chapman Ct. *Can I* —6J **35**
(off Seaview Rd.)
Chapman Rd. *Can I* —5K **35**

Chapmans Clo. *Lgh S* —4D **26**
Chapmans Wlk. *Lgh S* —4D **26**
Charfleets Clo. *Can I* —5B **34**
Charfleets Farm Ind. Est. *Can I*
　—5B **34**
Charfleets Farm Way. *Can I*
　—5B **34**
Charfleets Ind. Est. *Can I* —5A **34**
Charfleets Rd. *Can I* —5A **34**
Charfleets Service Rd. *Can I*
　—5B **34**
Charity Farm Chase. *Bill* —4D **2**
Charles Clo. *Wclf S* —7J **17**
Charleston Av. *Bas* —3G **13**
Charleston Ct. *Bas* —3G **13**
Charlotte Av. *W'fd* —3E **4**
Charlotte M. *Sth S* —4D **28**
Charlton Clo. *Pits* —5G **13**
Charnwood Wlk. *Ben* —1A **26**
Charterhouse. *Ray* —7H **7**
Chartwell N. *Sth S* —5E **28**
　(off Victoria Plaza Shop. Cen.)
Chartwell Sq. *Sth S* —5E **28**
　(off Victoria Plaza Shop. Cen.)
Chartwell W. *Sth S* —5E **28**
　(off Victoria Plaza Shop. Cen.)
Chase Clo. *Ben* —7F **15**
Chase End. *Ray* —2B **16**
Chase Gdns. *Wclf S* —2B **28**
Chase Rd. *Corr* —4G **33**
Chase Rd. *Sth S* —5G **29**
Chaseside. *Ray* —4A **16**
Chase, The. *Bas* —2G **21**
Chase, The. *Ben* —7F **15**
Chase, The. *Bill* —5G **3**
Chase, The. *L Bur* —2D **10**
Chase, The. *Ray* —3B **16**
Chase, The. *R'fd* —4H **9**
Chase, The. *Runw* —1J **5**
Chase, The. *W'fd* —4C **4**
　(Belmont Av.)
Chase, The. *W'fd* —7G **5**
　(Fieldway)
Chaseway. *Bas* —1D **22**
Chaseway End. *Bas* —2D **22**
Chatfield Way. *Bas* —5G **13**
Chatham Pavement. *Bas* —5G **13**
Chatsworth. *Ben* —6F **15**
Chatsworth Gdns. *Hock* —5D **8**
Chatterford End. *Bas* —5J **11**
Chatton Clo. *W'fd* —6G **5**
Chaucer Ho. *Sth S* —3E **28**
Chaucer Wlk. *W'fd* —6F **5**
Cheapside E. *Ray* —7G **7**
Cheapside W. *Ray* —7E **6**
Cheddar Av. *Wclf S* —7J **17**
Chedington. *Shoe* —3C **30**
Cheldon Barton. *Sth S* —3C **30**
Chelmer Av. *Ray* —3J **15**
Chelmer Way. *Shoe* —5D **30**
Chelmsford Av. *Sth S* —4D **28**
Chelmsford Rd. *Bat* —2C **6**
Chelmwood. *Can I* —2E **34**
Chelsea Av. *Sth S* —7H **29**
Chelsworth Clo. *Sth S* —5K **29**
Chelsworth Cres. *Sth S* —5J **29**
Cheltenham Dri. *Ben* —5H **15**
Cheltenham Dri. *Lgh S* —3H **27**
Cheltenham Rd. *Hock* —4F **9**
Cheltenham Rd. *Sth S* —5G **29**
Chenies Dri. *Bas* —3D **10**
Chepstow Clo. *Bill* —2H **3**
Cherries, The. *Can I* —7F **35**
Cherrybrook. *Sth S* —3C **30**
Cherry Clo. *Can I* —4C **34**
Cherry Clo. *Hock* —4E **8**
Cherrydene Clo. *Hull* —1J **7**
Cherrydown. *Ray* —7H **7**
Cherrydown E. *Bas* —7J **11**
Cherrydown W. *Bas* —7J **11**
Cherry Gdns. *Bill* —3C **2**
Cherry La. *W'fd* —4J **5**

Cherrymeade. *Ben* —1G **25**
　(in two parts)
Cherry Orchard La. *R'fd* —3K **17**
　(in two parts)
Cherry Orchard Way. *Sth S*
　—5K **17**
Cherrytree Chase. *Shoe* —3J **31**
Cherrytrees. *Bill* —7D **2**
Chertsey Clo. *Shoe* —3D **30**
Chesham Dri. *Bas* —3D **10**
Cheshunt Dri. *Ray* —5F **7**
Cheshunts. *Bas* —6E **12**
Chester Av. *Sth S* —7H **29**
Chesterfield Av. *Ben* —6C **14**
Chesterfield Cres. *Lgh S* —6F **17**
Chesterford Gdns. *Bas* —4D **12**
Chesterford Grn. *Bas* —4D **12**
Chester Hall La. *Bas* —3J **11**
Chester Way. *Bas* —4D **12**
Chestnut Av. *Bill* —5D **2**
Chestnut Clo. *Hock* —5F **9**
Chestnut Gro. *Ben* —1B **24**
Chestnut Gro. *Sth S* —3E **28**
Chestnut Ho. *W'fd* —4G **5**
Chestnut Rd. *Van* —1E **22**
Chestnuts, The. *Ray* —7J **7**
Chestnut Wlk. *Can I* —5C **34**
Chestnut Wlk. *Corr* —4H **33**
Chestwood Clo. *Bill* —2F **3**
Chevening Gdns. *Hock* —5C **8**
Chevers Pawen. *Bas* —7E **12**
Cheviot Ho. *Sth S* —4D **28**
Cheviot Wlk. *Sth S* —5E **28**
　(off Victoria Plaza Shop. Cen.)
Cheyne Ct. *W'fd* —6G **5**
Chichester Clo. *Bas* —4D **12**
Chichester Clo. *Can I* —6E **34**
Chichester Rd. *Sth S* —5E **28**
Chignalls, The. *Bas* —6C **10**
Chilham Clo. *Bas* —7G **13**
Chiltern App. *Can I* —4C **34**
Chiltern Clo. *Ray* —1K **15**
Chilterns, The. *Can I* —4D **34**
Chimes, The. *Ben* —1E **24**
Chinchilla Rd. *Sth S* —5H **29**
Chisholm Ct. *W'fd* —6G **5**
Chittock Ga. *Bas* —6C **12**
Chittock Mead. *Bas* —6C **12**
Chorley Clo. *Bas* —7B **10**
Christchurch Av. *W'fd* —3C **4**
Christchurch Ct. *Sth S* —5G **29**
Christchurch Rd. *Sth S* —4G **29**
Christopher Martin Rd. *Bas*
　—2C **12**
Christy Ct. *Bas* —5A **10**
Christy Way. *Lain* —5A **10**
Church Clo. *Can I* —5D **34**
Church Clo. *Horn H* —4A **32**
Church Clo. *Shoe* —6D **30**
Church Corner. *Ben* —4D **24**
Church Cotts. *W'fd* —2G **5**
Church End Av. *Runw* —1G **5**
Church End La. *Runw* —1F **5**
Churchfields. *Shoe* —2E **30**
Churchgate. *Wclf S* —4A **28**
Church Hill. *Bas* —5F **11**
Church Hill. *Lgh S* —5G **27**
Church Hill. *Pits* —1F **23**
Church Hill. *Stan H* —6C **32**
Churchill Cres. *Stan H* —3E **32**
Churchill S. *Sth S* —5E **28**
　(off Victoria Plaza Shop. Cen.)
Churchill Sq. *Sth S* —5E **28**
　(off Victoria Plaza Shop. Cen.)
Churchill W. *Sth S* —5E **28**
　(off Victoria Plaza Shop. Cen.)
Church La. *Bas* —2E **12**
Church Man. *Bas* —5D **10**
Church Pde. *Can I* —4C **34**
Church Pk. Rd. *Pits* —7F **13**
Church Path. *Bas* —1F **23**
Church Rd. *Bas* —4A **12**

Church Rd. *Ben* —6B **14**
Church Rd. *Bill* —1A **4**
Church Rd. *Corr* —4H **33**
Church Rd. *Had* —2A **26**
Church Rd. *Hock* —2B **8**
Church Rd. *Lain* —3G **11**
　(in three parts)
Church Rd. *Pits* —7H **13**
Church Rd. *Raw* —4A **6**
Church Rd. *Ray* —2A **16**
Church Rd. *R'fd* —4J **9**
Church Rd. *Shoe* —6C **30**
Church Rd. *Sth S* —6E **28**
Church Rd. Residential Pk. *Corr*
　—4J **33**
Church St. *Bill* —7A **2**
Church St. *Ray* —2K **15**
Church View Rd. *Ben* —6E **14**
Church Wlk. *Bas* —6J **11**
Church Wlk. *R'fd* —3C **18**
Church Way. *Ben* —3B **26**
Clara James Cotts. *Can I* —5E **34**
　(off Kitkatts Rd.)
Clare Av. *W'fd* —1F **5**
Claremont Dri. *Bas* —1E **22**
Claremont Rd. *Bas* —4E **10**
Claremont Rd. *Wclf S* —4B **28**
Clarence Clo. *Ben* —1D **24**
Clarence Rd. *Bas* —5K **13**
Clarence Rd. *Ben* —2D **24**
Clarence Rd. *Corr* —3J **33**
Clarence Rd. *Ray* —4C **16**
Clarence Rd. *Sth S* —6E **28**
Clarence Rd. N. *Ben* —1D **24**
Clarence St. *Sth S* —6E **28**
Clarendon Rd. *Bas* —5G **13**
Clarendon Rd. *Can I* —4G **35**
Clarendon Rd. *Hock* —2F **9**
Clare Rd. *Ben* —6A **14**
Clark Gro. *Stan H* —2F **33**
Clark Rd. *Hock* —6E **8**
Claters Clo. *Sth S* —3K **29**
Clatterfield Gdns. *Wclf S* —3J **27**
Clavering. *Bas* —1D **22**
Clavering Ct. *Ray* —1G **15**
Claybrick Av. *Hock* —6D **8**
Clayburn Circ. *Bas* —6B **12**
Clayburn End. *Bas* —6B **12**
Clayburn Side. *Bas* —6B **12**
Claydon Cres. *Bas* —5A **12**
Claydons La. *Ben* —5J **15**
Claydons La. *Ray* —4J **15**
Clay Hill La. *Bas* —2K **21**
Clay Hill Rd. *Bas* —7K **11**
Clayspring Clo. *Hock* —4D **8**
Clements Gdns. *Hock* —5G **9**
Clements Hall La. *Hock* —5G **9**
Clements Hall Way. *H'wl* —7G **9**
Cleveland Dri. *Wclf S* —2B **28**
Cleveland Rd. *Bas* —6A **12**
Cleveland Rd. *Can I* —6F **35**
Clickett End. *Bas* —6A **12**
Clickett Hill. *Bas* —6A **12**
Clickett Side. *Bas* —6A **12**
　(in two parts)
Clieveden Rd. *Sth S* —7K **29**
Cliff Av. *Lgh S* —5J **27**
Cliff Av. *Wclf S* —4C **28**
Cliff Gdns. *Lgh S* —5J **27**
Clifford Clo. *Lain* —7F **11**
Cliff Pde. *Lgh S* —5G **27**
Cliff Rd. *Lgh S* —5J **27**
Cliffsea Gro. *Lgh S* —4H **27**
Clifftown Pde. *Sth S* —6D **28**
Clifftown Rd. *Sth S* —6E **28**
Clifton Av. *Ben* —1B **24**
Clifton Clo. *Ben* —1D **24**
Clifton Dri. *Wclf S* —6D **28**
Clifton M. *Sth S* —6E **28**
Clifton Rd. *Bas* —5K **13**
Clifton Rd. *Can I* —5F **35**
Clifton Rd. *R'fd* —4J **9**

Clifton Ter. *Sth S* —6E **28**
Clifton Wlk. *Ben* —1D **24**
Clifton Way. *Ben* —1C **24**
Climmen Rd. *Can I* —3F **35**
Clinton Rd. *Can I* —5B **34**
Clock Ho. *Lain* —6D **10**
Cloisters. *Stan H* —5E **32**
Cloisters, The. *Lain* —6E **10**
Clopton Grn. *Bas* —5K **11**
Close, The. *Ben* —5D **24**
　(High St. Benfleet)
Close, The. *Ben* —4H **15**
　(Kingsley La.)
Close, The. *Hock* —2C **8**
Clough Ho. *Wclf S* —1A **28**
Clova Rd. *Lgh S* —3H **27**
Clovelly Gdns. *W'fd* —2E **4**
Clover Clo. *Bas* —2C **22**
Clover Way. *Bas* —2C **22**
Cluny Sq. *Sth S* —2G **29**
Clusters, The. *Sth S* —4D **28**
Clyde Cres. *Ray* —4J **15**
Coach M. *Bas* —2H **3**
Coaster Steps. *Sth S* —6G **29**
　(off Kursaal Way)
Cobden Wlk. *Bas* —5G **13**
　(in two parts)
Cobham Mans. *Wclf S* —5A **28**
　(off Station Rd.)
Cobham Rd. *Wclf S* —6A **28**
Coburg La. *Bas* —1B **20**
Cockerell Clo. *Bas* —3F **13**
Cockethurst Clo. *Wclf S* —1J **27**
Codenham Grn. *Bas* —1K **21**
Codenham Straight. *Bas* —1K **21**
Cokefield Av. *Sth S* —2G **29**
Coker Rd. *Can I* —6B **34**
Colbert Av. *Sth S* —6K **29**
Colbourne Clo. *Stan H* —4F **33**
Colchester Clo. *Sth S* —3D **28**
Colchester Rd. *Sth S* —3D **28**
Coleman's Av. *Wclf S* —1B **28**
Coleman St. *Sth S* —4E **28**
College Way. *Sth S* —5E **28**
Collindale Clo. *Can I* —4H **35**
Collingwood. *Ben* —1E **24**
Collingwood Rd. *Bas* —1B **22**
Collingwood Ter. *Bas* —1B **22**
Collingwood Wlk. *Bas* —7B **12**
Collingwood Way. *Shoe* —3F **31**
Collins Clo. *Stan H* —5E **32**
Collins Ho. *Stan H* —3F **33**
Collins Way. *Lgh S* —6J **17**
Colman Clo. *Stan H* —4D **32**
Colne Dri. *Shoe* —3E **30**
Colne Pl. *Bas* —1A **22**
Coltishall Clo. *W'fd* —5K **5**
Colville Clo. *Corr* —2F **33**
Colville M. *Bill* —2D **2**
Colworth Clo. *Ben* —1K **25**
Comet Way. *Sth S* —6K **17**
Comet Way Ind. Est. *Sth S* —6K **17**
Commercial Rd. *Wclf S* —1B **28**
Common App. *Ben* —6G **15**
Commonhall La. *Ben* —2K **25**
Common La. *Ben* —5G **15**
Common Rd. *Gt W* —1H **31**
Common, The. *Ben* —5G **15**
Compton Ct. *Can I* —6H **35**
Compton Ter. *W'fd* —4G **5**
Compton Wlk. *Bas* —5D **10**
Concord Rd. *Can I* —3D **34**
Conifers. *Ben* —2A **26**
Coniston. *Sth S* —5J **17**
Coniston Clo. *Ray* —2A **16**
Coniston Rd. *Ben* —5E **14**
Coniston Rd. *Can I* —5E **34**
Connaught Gdns. *Ben* —6G **15**
Connaught Rd. *Ray* —4C **16**
　(in two parts)
Connaught Wlk. *Ray* —4C **16**
Connaught Way. *Bill* —2E **2**

Goose Cotts. *W'fd* —2C **6**
Gordon Clo. *Bill* —4D **2**
Gordon Pl. *Sth S* —5D **28**
Gordon Rd. *Bas* —7B **12**
Gordon Rd. *Lgh S* —3D **26**
Gordon Rd. *Sth S* —5D **28**
Gordon Rd. *Stan H* —3F **33**
Gordons. *Bas* —7E **12**
Gore, The. *Bas* —6J **11**
Gosfield Clo. *Ray* —1G **15**
Goslings, The. *Shoe* —5G **31**
Gowan Brae. *Ben* —7B **14**
Gowan Clo. *Ben* —7B **14**
Gowan Ct. *Ben* —7B **14**
Goya Rise. *Shoe* —4G **31**
Goy Rd. *Corr* —4H **33**
Grafton Rd. *Can I* —6G **35**
Graham Clo. *Bill* —2F **3**
Graham Clo. *Hock* —4E **8**
Graham Clo. *Stan H* —3E **32**
Grahame Ho. *Sth S* —2G **29**
Grainger Clo. *Sth S* —3E **28**
Grainger Rd. *Sth S* —4E **28**
Grainger Rd. Ind. Est. *Sth S* —4E **28**
Grampian. *Wclf S* —4C **28**
Grand Ct. W. *Lgh S* —5H **27** (off Grand Dri.)
Grand Dri. *Lgh S* —5H **27**
Grand Pde. *Lgh S* —5H **27**
Grandview Rd. *Bas* —7F **15**
Grange Av. *Ben* —7C **16**
Grange Av. *W'fd* —5D **4**
Grange Clo. *Lgh S* —2G **27**
Grange Gdns. *Ray* —1H **15**
Grange Gdns. *Sth S* —5F **29**
Grange Pde. *Bill* —6A **2**
Grange Pk. Dri. *Lgh S* —3H **27**
Grange Rd. *Bas* —4J **13**
Grange Rd. *Ben* —4E **14** (in two parts)
Grange Rd. *Bill* —6A **2**
Grange Rd. *Lgh S* —4F **27**
Grange Rd. *W'fd* —1E **4**
Granger Pl. *Can I* —6H **35**
Grangeway. *Ben* —6G **15**
Grangewood. *Ben* —7D **14**
Grant Clo. *W'fd* —6G **5**
Granville Clo. *Ben* —1E **24**
Granville Clo. *Bill* —2D **2**
Granville Rd. *Hock* —2F **9**
Grapnells. *Bas* —1D **22**
Grasmead Av. *Lgh S* —3H **27**
Grasmere Av. *Hull* —1G **7**
Grasmere Rd. *Ben* —6E **14**
Grasmere Rd. *Can I* —5C **34**
Gratmore Grn. *Bas* —2C **22**
Gravel Rd. *Lgh S* —4D **16**
Grays Av. *Bas* —4E **20**
Graysons Clo. *Ray* —2A **16**
Gt. Berry Farm Chase. *Bas* —1C **20**
Gt. Berry La. *Bas* —1C **20** (in two parts)
Gt. Blunts Cotts. *Stock* —1G **3**
Gt. Burches Rd. *Ben* —5G **15**
Gt. Eastern Av. *Sth S* —4E **28**
Gt. Eastern Rd. *Hock* —6E **8**
Gt. Gregorie *Bas* —7H **11**
Gt. Hays. *Lgh S* —7E **16**
Greathouse Chase. *Fob* —7A **22**
Gt. Knightleys. *Bas* —6F **11**
Gt. Leighs Way. *Bas* —3G **13**
Gt. Mead. *Shoe* —3E **30**
Gt. Mistley. *Bas* —7A **12**
Gt. Oaks. *Bas* —6J **11**
Gt. Oxcroft. *Bas* —6D **10**
Gt. Ranton. *Pits* —4G **13**
Gt. Saling. *W'fd* —5A **5**
Gt. Spenders. *Bas* —4B **12**
Gt. Wheatley Rd. *Ray* —2G **15**
Greenacre M. *Lgh S* —3G **27**
Greenacres. *Ben* —2A **26**

Green Av. *Can I* —5C **34**
Greenbanks. *Lgh S* —3J **27**
Greendyke. *Can I* —3D **34**
Greenfields. *Bill* —7E **2**
Greenfields Clo. *Bill* —7E **2**
Greenlands. *R'fd* —7K **9**
Green La. *Bas* —1G **21**
Green La. *Can I* —5D **34**
Green La. *Lgh S* —5F **17**
Green La. *L Bur* —2C **10**
Greenleas. *Ben* —6H **15**
Green Oaks Clo. *Ben* —2E **24**
Green Rd. *Ben* —4D **24**
Greens Farm La. *Bill* —5G **3**
Greensted Clo. *Bas* —7D **12**
Greensted, The. *Bas* —7D **12**
Greensward La. *Hock* —5E **8**
Green, The. *Lgh S* —5G **17**
Green, The. *Stan H* —6D **32**
Greenview. *Can I* —3D **34** (off Helmsdale)
Greenway. *Bill* —6H **3**
Greenways. *Ben* —3C **24**
Greenways. *Can I* —3D **34**
Greenways. *R'fd* —2D **18**
Greenways. *Sth S* —6J **29**
Greenwood Av. *Ben* —4E **24**
Gregory Clo. *Hock* —7F **9**
Grevatt Lodge. *Pits* —7F **13**
Greyhound Retail Pk. *Sth S* —4E **28**
Greyhound Way. *Sth S* —4E **28**
Griffin Av. *Can I* —3G **35**
Grimston Rd. *Bas* —4D **12**
Grosvenor Ct. *Sth S* —3D **28**
Grosvenor Ct. *Wclf S* —6A **28**
Grosvenor Gdns. *Bill* —3E **2**
Grosvenor Mans. *Wclf S* —5A **28** (off Grosvenor Rd.)
Grosvenor M. *Wclf S* —6A **28**
Grosvenor Rd. *Ben* —5E **24**
Grosvenor Rd. *Wclf S* —6A **28**
Grove Av. *Bas* —2D **20**
Grove Clo. *Ray* —2B **16**
Grove Ct. *Ray* —3C **16**
Grove Ct. *Wclf S* —2K **27**
Grove Hill. *Lgh S* —5D **16**
Grovelands Rd. *W'fd* —5F **5**
Grove Rd. *Ben* —3D **24**
Grove Rd. *Bill* —5D **2**
Grove Rd. *Can I* —4G **35**
Grove Rd. *Ray* —2B **16**
Grove Rd. *Stan H* —7D **32**
Grover Wlk. *Corr* —4F **33**
Grove, The. *Bill* —3G **3**
Grove, The. *Sth S* —3F **29**
Grove, The. *Stan H* —7D **32**
Grove Wlk. *Shoe* —5E **30**
Grovewood Av. *Lgh S* —5D **16**
Grovewood Clo. *Lgh S* —5D **16**
Guernsey Gdns. *W'fd* —2F **5**
Guildford Rd. *Sth S* —4E **28**
Gunfleet. *Shoe* —5C **30**
Gun Hill Pl. *Bas* —7A **12**
Gunners Rd. *Shoe* —5G **31**
Gustedhall La. *Hock* —2G **17**
Gwendalen Av. *Can I* —4H **35**

Haarlem Rd. *Can I* —4B **34**
Haarle Rd. *Can I* —6H **35**
Haase Clo. *Can I* —2E **34**
Hackamore. *Ben* —7H **15**
Hacks Dri. *Ben* —5H **15**
Haddon Clo. *Ray* —7E **6**
Hadfield Rd. *Stan H* —6D **32**
Hadleigh Hall Ct. *Lgh S* —4E **26** (off Hadleigh Rd.)
Hadleigh Pk. Av. *Ben* —2J **25**
Hadleigh Rd. *Lgh S* —4E **26**
Hadleigh Rd. *Wclf S* —6C **28**
Hainault Av. *R'fd* —7J **9**

Hainault Av. *Wclf S* —3B **28**
Hainault Clo. *Ben* —1A **26**
Hallam Ct. *Bill* —3D **2**
Hall Clo. *Stan H* —3E **32**
Hall Cres. *Ben* —2J **25**
Hallet Rd. *Can I* —5J **35**
Hall Farm Clo. *Ben* —4D **24**
Hall Farm Rd. *Ben* —3D **24**
Hall Pk. Av. *Wclf S* —5K **27**
Hall Pk. Way. *Wclf S* —5K **27**
Hall Rd. *Hock & R'fd* —1J **17**
Halston Ct. *Corr* —3H **33**
Halstow Way. *Pits* —7G **13**
Hamboro Gdns. *Lgh S* —4D **26**
Hambro Av. *Ray* —7H **7**
Hambro Clo. *Ray* —7J **7**
Hambro Hill. *Ray* —6J **7**
Hamilton Clo. *Lgh S* —3C **26**
Hamilton Gdns. *Hock* —4E **8**
Hamilton M. *Ray* —1B **16**
Hamlet Ct. M. *Wclf S* —4C **28**
Hamlet Ct. Rd. *Wclf S* —5B **28**
Hamlet Rd. *Sth S* —6D **28**
Hamley Clo. *Ben* —6B **14**
Hammonds La. *Bill* —7A **2**
Hampstead Gdns. *Hock* —4F **9**
Hampton Clo. *Sth S* —1C **28**
Hampton Ct. *Hock* —5C **8**
Hampton Gdns. *Sth S* —7C **18**
Hamstel Rd. *Sth S* —2H **29**
Handel Rd. *Can I* —6H **35**
Handley Grn. *Bas* —7E **10**
Handleys Chase. *Lain* —2H **11**
Handleys Ct. *Lain* —2H **11**
Hannah Clo. *Can I* —2E **34**
Hannett Rd. *Can I* —5J **35**
Hanningfield Clo. *Ray* —1G **15**
Hanover Clo. *Bas* —7C **12**
Hanover Dri. *Bas* —6C **12**
Hanover M. *Hock* —5D **8**
Harberts Way. *Ray* —6G **7**
Harcourt Av. *Sth S* —4D **28**
Harcourt Ho. *Sth S* —4D **28**
Hardie Rd. *Stan H* —5D **32**
Hardings Elms Rd. *Cray H* —1K **11**
Hardwick Clo. *Ray* —3K **15**
Hardwick Ct. *Sth S* —2C **28**
Hardy. *Shoe* —7D **30**
Hardy's Way. *Can I* —2E **34**
Harebell Clo. *Bill* —3D **2**
Hares Chase. *Bill* —4D **2**
Haresland Clo. *Ben* —6B **16**
Harewood Av. *R'fd* —6J **9**
Harlech Clo. *Pits* —7F **13**
Harlequin Steps. *Sth S* —6G **29** (off Hawtree Clo.)
Harley St. *Lgh S* —4E **26**
Harold Gdns. *W'fd* —2G **5**
Haron Clo. *Can I* —5F **35**
Harper Way. *Ray* —1J **15**
Harridge Clo. *Lgh S* —2G **27**
Harridge Rd. *Lgh S* —2G **27**
Harrier Clo. *Shoe* —3E **30**
Harris Clo. *R'fd* —6H **5**
Harrison Gdns. *Hull* —1H **7**
Harrods Ct. *Bill* —5H **3**
Harrogate Dri. *Hock* —3F **9**
Harrogate Rd. *Hock* —4F **9**
Harrow Clo. *Hock* —6G **9**
Harrow Gdns. *Hock* —6G **9**
Harrow Rd. *Can I* —3F **35**
Harrow Rd. *N Ben* —2K **13**
Hart Clo. *Ben* —6G **15**
Hartford Clo. *Ray* —7E **6**
Hartford End. *Bas* —7E **12**
Hartington Pl. *Sth S* —6F **29**
Hartington Rd. *Sth S* —6F **29**
Hart Rd. *Ben* —6F **15**
Harvard Ct. *Ray* —7F **7**
Harvest Rd. *Can I* —3F **35**
Harvey Clo. *Pits* —3F **13**

Harvey Rd. *Bas* —2F **13**
Haskins. *Stan H* —4F **33**
Haslemere Rd. *W'fd* —1E **4**
Hassell Rd. *Can I* —5H **35**
Hassenbrook Rd. *Stan H* —5D **32**
Hastings Rd. *Sth S* —5F **29**
Hastings, The. *W'fd* —2F **5**
Hatfield Dri. *Bill* —5H **3**
Hatfield Rd. *Ray* —1H **15**
Hatherley, The. *Bas* —5B **12**
Hatley Gdns. *Ben* —7B **14**
Hatterill. *Lain* —6E **10**
Havana Dri. *Ray* —5F **7**
Haven Clo. *Bas* —2C **22**
Haven Clo. *Can I* —5C **34**
Havengore. *Bas* —4G **13**
Havengore Clo. *Gt W* —1J **31**
Haven Rise. *Bill* —7B **2**
Haven Rd. *Can I* —7A **34**
Havering Clo. *Gt W* —1H **31**
Havis Rd. *Stan H* —3E **32**
Hawbush Grn. *Bas* —3F **13**
Hawkesbury Bush La. *Van* —3J **21**
Hawkesbury Clo. *Can I* —6D **34**
Hawkesbury Rd. *Can I* —5C **34**
Hawk Hill. *Bat* —1A **6**
Hawkins. *Shoe* —6D **30**
Hawk La. *Bat* —1B **6**
Hawkridge. *Shoe* —4C **30**
Hawks La. *Hock* —6E **8**
Hawksway. *Bas* —1K **21**
Hawkwell Chase. *Hock* —6E **8**
Hawkwell Pk. Dri. *Hock* —6F **9**
Hawkwell Rd. *Hock* —5E **8**
Hawthorn Clo. *Hock* —6F **9**
Hawthorne Gdns. *Hock* —5B **8**
Hawthorne Rd. *Corr* —3F **33**
Hawthorns. *Ben* —1C **24**
Hawthorns. *Lgh S* —1G **27**
Hawthorns, The. *Corr* —3J **33**
Hawthorn Way. *Ray* —3B **16**
Hawtree Clo. *Sth S* —6G **29**
Hayes Barton. *Sth S* —4C **30**
Hayrick Clo. *Bas* —1C **20**
Hazel Clo. *Ben* —3B **26**
Hazel Clo. *Lain* —2H **11**
Hazel Clo. *Lgh S* —3E **26**
Hazeldene. *Ray* —7H **7**
Hazelmere. *Pits* —1E **22**
Hazelwood. *Ben* —5B **14**
Hazelwood. *Hock* —7F **9**
Hazelwood Gro. *Lgh S* —7G **17**
Hazlemere Rd. *Ben* —7D **14**
Headcorn Clo. *Bas* —7G **13**
Headley Rd. *Bill* —3G **3**
Hearsall Av. *Stan H* —5E **32**
Heath Clo. *Bill* —6D **2**
Heather Bank. *Bill* —5G **3**
Heathercroft Rd. *W'fd* —5J **5**
Heather Dri. *Ben* —3C **26**
Heathfield. *Ben* —6J **15**
Heathfield. *Ray* —3K **15**
Heathleigh Dri. *Ben* —1D **20**
Heath Rd. *Rams H* —3J **3**
Hedgehope Av. *Ray* —7H **7**
Hedge La. *Ben* —1K **25**
Hedgerow Ct. *Lain* —2H **11**
Hedgerow, The. *Bas* —1B **22**
Hedingham Ho. *Ray* —3J **15**
Heeswyk Rd. *Can I* —3H **35**
Heideburg Rd. *Can I* —3H **35**
Heilsburg Rd. *Can I* —3H **35**
Helden Av. *Can I* —3F **35**
Helena Clo. *Hock* —6F **9**
Helena Rd. *Ray* —2A **16**
Hellendoorn Rd. *Can I* —6H **35**
Helmore Ct. *Bas* —6B **10**
Helmores. *Bas* —6B **10**
Helmsdale. *Can I* —3D **34**
Helpeston. *Bas* —6B **12**

Hemmells. *Bas* —4D **10**
Hempstalls. *Bas* —7H **11**
Henderson Gdns. *W'fd* —6G **5**
Hendon Clo. *W'fd* —5F **5**
Hengist Gdns. *W'fd* —2F **5**
Henham Clo. *Bill* —5H **3**
Henley Cres. *Wclf S* —1B **28**
Henry Dri. *Lgh S* —3C **26**
Henson Av. *Can I* —5J **35**
Herbert Gro. *Sth S* —6F **29**
Herbert Rd. *Can I* —4G **35**
Herbert Rd. *Shoe* —6C **30**
Herd La. *Corr* —3J **33**
Hereford Wlk. *Bas* —5D **12**
Hereward Gdns. *W'fd* —2F **5**
Heritage Way. *R'fd* —2C **18**
Hermes Way. *Shoe* —4F **31**
Hermitage Av. *Ben* —1G **25**
Hermitage Clo. *Ben* —1G **25**
Hermitage Dri. *Lain* —6E **10**
Hermitage Rd. *Wclf S* —5C **28**
Hernen Rd. *Can I* —3G **35**
Heron Av. *W'fd* —5H **5**
Heron Dale. *Bas* —6B **12**
Heron Gdns. *Ray* —1H **15**
Herongate. *Ben* —1B **24**
Herongate. *Shoe* —4E **30**
Heron Retail Pk. *Bas* —4G **11**
Heronsgate Trad. Est. *Bas* —2D **12**
Herschell Rd. *Lgh S* —3E **26**
Hertford Dri. *Fob* —4A **22**
Hertford Rd. *Can I* —5D **34**
Hetzand Rd. *Can I* —5K **35**
Hever Clo. *Hock* —5D **8**
Heybridge Dri. *W'fd* —4G **5**
Heycroft Rd. *Hock* —6F **9**
Heycroft Rd. *Lgh S* —6H **17**
Heygate Av. *Sth S* —6E **28**
Hickling Clo. *Lgh S* —6D **16**
Hickstars La. *Bill* —6A **2**
Highams Rd. *Hock* —6E **8**
High Bank. *Bas* —1B **20**
Highbank Clo. *Lgh S* —7H **17**
High Barrets. *Bas* —7E **12**
High Beeches. *Bas* —2B **24**
Highcliff Cres. *R'fd* —4K **9**
High Cliff Dri. *Lgh S* —5H **27**
Highcliffe Clo. *W'fd* —3H **5**
Highcliffe Dri. *W'fd* —3B **4**
Highcliffe Rd. *W'fd* —4H **5**
Highcliffe Way. *W'fd* —4H **5**
Highcliff Rd. *Ben* —4E **24**
High Cloister. *Sth S* —5F **3**
High Elms Rd. *Hull* —2J **7**
High Farm Cotts. *Bill* —5A **4**
Highfield App. *Bill* —7H **3**
Highfield Av. *Ben* —1H **25**
*Highfield Cloisters. Lgh S —4E **26***
  (off Hadleigh Rd.)
Highfield Clo. *Wclf S* —3B **28**
Highfield Cres. *Ray* —2K **15**
Highfield Cres. *Wclf S* —3B **28**
Highfield Dri. *Wclf S* —2B **28**
Highfield Gdns. *Wclf S* —2B **28**
Highfield Gro. *Wclf S* —2B **28**
Highfield Rd. *Bill* —6B **2**
Highfield Way. *Wclf S* —2B **28**
Highland Gro. *Bill* —5F **3**
Highland Rd. *Fob* —4K **21**
  (in two parts)
Highlands Av. *Bas* —1B **22**
  (in two parts)
Highlands Boulevd. *Lgh S* —2C **26**
Highlands Ct. *Lgh S* —3D **26**
Highlands Cres. *Back* —6K **13**
Highlands Rd. *Bas* —6K **13**
Highlands Rd. *Raw* —1F **7**
High Mead. *Hock* —6E **8**
Highmead. *Ray* —2H **15**
Highmead Ct. *Ray* —2H **15**
High Meadow. *Bill* —5G **3**
High Oaks. *Bas* —2D **20**

High Pavement. *Bas* —6J **11**
High Rd. *Ben* —7B **14**
High Rd. *Fob* —4A **22**
High Rd. *Hock* —7K **7**
High Rd. *Horn H* —3A **32**
High Rd. *Lang H & Lain* —4D **20**
  (in two parts)
High Rd. *Ray* —4J **15**
High Rd. *Stan H* —6F **33**
High Rd. *Van & Bas* —1D **22**
High Rd. *N. Lain* —3E **10**
High St. Benfleet. *Ben* —4D **24**
High St. Billericay. *Bill* —6E **2**
High St. Canvey Island, *Can I*
  —4G **35**
High St. Great Wakering, *Gt W*
  —1F **31**
High St. Hadleigh, *Had* —2K **25**
High St. Leigh-on-Sea, *Lgh S*
  —5E **26**
High St. Rayleigh, *Ray* —2J **15**
High St. Shoeburyness, *Shoe*
  —6F **31**
High St. Southend-on-Sea, *Sth S*
  —5E **28**
High St. Stanford-le-Hope, *Stan H*
  —6C **32**
High St. Wickford, *W'fd* —4F **5**
Highview Av. *Lang H* —7B **10**
Highview Rd. *Ben* —5G **15**
Highwood Clo. *Lgh S* —1H **27**
Hilary Clo. *R'fd* —6K **9**
Hilary Cres. *Ray* —2A **16**
Hilbery Rd. *Can I* —5G **35**
Hildaville Dri. *Wclf S* —4A **28**
Hillary Mt. *Bill* —6D **2**
Hill Av. *W'fd* —4H **5**
Hillborough Mans. *Wclf S* —2B **28**
Hillborough Rd. *Wclf S* —2B **28**
Hill Clo. *Ben* —1E **24**
Hillcrest Av. *Bas* —1A **20**
Hillcrest Av. *Hull* —2J **7**
Hillcrest Clo. *Horn H* —3A **32**
Hillcrest Rd. *Hock* —6E **8**
Hillcrest Rd. *Horn H* —4A **32**
Hillcrest Rd. *Sth S* —5F **29**
Hillcrest View. *Bas* —2B **22**
Hillhouse Clo. *Bill* —3F **3**
Hillhouse Ct. *Bill* —3F **3**
Hillhouse Dri. *Bill* —3F **3**
Hill La. *Hock* —6F **9**
Hill Rd. *Ben* —2E **24**
Hill Rd. *Sth S* —2D **28**
Hillside Av. *Hock* —6F **9**
Hillside Clo. *Bill* —6F **3**
Hillside Cotts. *W'fd* —1J **5**
Hillside Cres. *Lgh S* —5J **27**
Hillside Rd. *Ben* —4D **24**
  (in two parts)
Hillside Rd. *Bill* —6F **3**
Hillside Rd. *E'wd* —4E **16**
Hillside Rd. *Hock* —6B **8**
Hillside Rd. *Lgh S* —5G **27**
Hill Ter. *Corr* —3J **33**
Hill Top Av. *Ben* —3F **25**
Hilltop Av. *Hull* —2J **7**
Hilltop Clo. *Ray* —3J **15**
Hill Top Rise. *Lang H* —1B **20**
Hilltop Rd. *Bas* —5F **11**
Hillview Gdns. *Stan H* —2F **33**
Hillview Rd. *Ray* —1J **15**
Hillway. *Bill* —5H **3**
Hillway. *Wclf S* —5J **27**
Hillwood Gro. *W'fd* —4G **5**
Hilly Rd. *Lain* —5F **11**
Hilton Rd. *Can I* —3E **34**
Hilton Wlk. *Can I* —3E **34**
Hilversum Way. *Can I* —3F **35**
Hindles Rd. *Can I* —4H **35**
Hinguar St. *Shoe* —6F **31**
Hobhouse Rd. *Stan H* —3D **32**
Hoblethick La. *Wclf S* —2B **28**

Hockley Clo. *Bas* —6B **12**
Hockley Grn. *Bas* —6C **12**
Hockley Mobile Homes. *Hock*
  —1C **8**
Hockley Rise. *Hock* —6E **8**
Hockley Rd. *Bas* —6B **12**
Hockley Rd. *Ray* —2K **15**
Hodgson Ct. *W'fd* —6J **5**
Hodgson Way. *W'fd* —5H **5**
Hogarth Dri. *Shoe* —4G **31**
Hogarth Way. *R'fd* —5J **9**
Holbech Rd. *Bas* —4D **12**
Holbrook Clo. *Bill* —5H **3**
Holden Gdns. *Bas* —3D **12**
Holden Rd. *Bas* —3D **12**
Holden Wlk. *Bas* —3D **12**
Holgate. *Bas* —4G **13**
Holland Av. *Can I* —3B **34**
Holland Rd. *Wclf S* —6B **28**
Holland Wlk. *Bas* —3B **22**
Holley Gdns. *Bill* —4F **3**
Hollies, The. *Stan H* —6C **32**
Holly Bank. *Bas* —1B **20**
Holly Ct. *Bill* —5E **2**
Hollyford. *Bill* —2H **3**
  (in two parts)
Holly Gro. *Bas* —7B **10**
Hollymead. *Corr* —3E **32**
Hollytree Gdns. *Ray* —4H **15**
Holly Wlk. *Can I* —4D **34**
Holmes Clo. *Horn H* —4A **32**
*Holmes Ct. Can I —4H **35***
  (off High St. Canvey Island,)
Holmsdale Clo. *Wclf S* —2A **28**
Holmswood. *Can I* —3J **35**
Holst Av. *Bas* —4E **10**
Holst Clo. *Stan H* —4C **32**
Holsworthy. *Shoe* —4D **30**
Holt Farm Way. *R'fd* —7K **9**
Holton Rd. *Can I* —5K **35**
Holton Rd. *Ray* —3C **16**
Holtynge. *Ben* —1C **24**
Holyoak La. *Hock* —7E **8**
Holyrood Dri. *Wclf S* —3K **27**
*Homecove Ho. Wclf S —6B **28***
  (off Holland Rd.)
Home Farm Clo. *Gt W* —1H **31**
Homefield Clo. *Bill* —7B **2**
Homefields Av. *Ben* —7B **14**
Home Mead. *Bas* —4D **10**
Home Meadows. *Bill* —5E **2**
*Homeregal Ho. Ray —2K **15***
  (off Bellingham La.)
Homestead Ct. *Ben* —2K **25**
Homestead Dri. *Bas* —3E **20**
Homestead Gdns. *Ben* —3K **25**
Homestead Rd. *Bas* —6J **13**
Homestead Rd. *Ben* —3K **25**
Homestead Rd. *Rams B* —3A **4**
Homestead Way. *Ben* —3K **25**
Honeypot La. *Bas* —4K **11**
  (in two parts)
Honiley Av. *W'fd* —1J **13**
Honington Clo. *W'fd* —5K **5**
Honiton Rd. *Sth S* —5G **29**
Honywood Rd. *Bas* —2D **12**
Hood Clo. *W'fd* —5G **5**
Hooley Dri. *Ray* —5G **7**
Hoover Dri. *Bas* —6B **10**
Hope Av. *Stan H* —2E **32**
Hope Rd. *Ben* —4D **24**
Hope Rd. *Can I* —5H **35**
Hope Rd. *Stan H* —7D **32**
Horace Rd. *Bill* —3G **3**
Horace Rd. *Sth S* —6F **29**
Horkesley Way. *W'fd* —5G **5**
Hornbeams. *Ben* —4B **14**
Hornbeam Way. *Lain* —2E **10**
Hornby Av. *Wclf S* —7A **18**
Hornby Clo. *Wclf S* —7B **18**
Hornchurch Clo. *W'fd* —5J **5**

Horndon Rd. *Horn H* —6A **32**
Hornsby Sq. *Bas* —5A **10**
  (in two parts)
Hornsby Way. *Bas* —5B **10**
Hornsland Rd. *Can I* —5J **35**
Horseshoe Barracks. *Shoe* —6F **31**
Horseshoe Clo. *Bill* —2E **2**
Horsley Cross. *Bas* —5K **11**
Hospital Rd. *Shoe* —6F **31**
Hovefields Av. *Bas* —2H **13**
Hovefields Av. *W'fd* —1H **13**
Hovefields Dri. *W'fd* —1H **13**
Howard Chase. *Bas* —4H **11**
Howard Cres. *Bas* —7G **13**
Howard Pl. *Can I* —6F **35**
Howards Chase. *Wclf S* —3C **28**
Howell Rd. *Corr* —7H **21**
*Hudson Ct. Lgh S —6G **17***
  (off Hudson Cres.)
Hudson Cres. *Lgh S* —6G **17**
Hudson Rd. *Lgh S* —6F **17**
Hudsons Clo. *Stan H* —4D **33**
Hudson Way. *Can I* —2E **34**
Hullbridge Rd. *Ray* —2H **7**
Humber Clo. *Ray* —3J **15**
Hunter Dri. *W'fd* —6G **5**
Hunters Av. *Bill* —6A **2**
Huntingdon Rd. *Sth S* —5H **29**
Hunts Mead. *Bill* —6D **2**
Hurlock Rd. *Bill* —5F **3**
Hurricane Clo. *W'fd* —6K **5**
Hurricane Ho. *W'fd* —6J **5**
Hurricane Way. *W'fd* —6J **5**
Hurst Ho. *Ben* —5H **15**
Hurst Way. *Lgh S* —1H **27**
Hyde, The. *Bas* —1B **20**
Hydeway. *Ben* —7F **15**
Hyde Way. *W'fd* —5F **5**
Hylands, The. *Hock* —6D **8**

Ian Rd. *Bill* —3D **2**
Ilford Trad. Est. *Bas* —2C **12**
Ilfracombe Av. *Bas* —7H **13**
Ilfracombe Av. *Sth S* —5H **29**
Ilfracombe Rd. *Sth S* —4G **29**
Ilgars Rd. *W'fd* —2G **5**
Ilmington Dri. *Bas* —3E **12**
Imperial Av. *Wclf S* —4K **27**
*Imperial Ct. Wclf S —6B **28***
  (off Westcliff Pde.)
Imperial Lodge. *Wclf S* —4A **28**
Ingaway. *Bas* —7H **11**
Inglefield Rd. *Fob* —6A **22**
Ingrave Clo. *W'fd* —5G **5**
Innes Clo. *W'fd* —6G **5**
International Bus. Pk. *Can I*
  —5B **34**
Inverness Av. *Wclf S* —3B **28**
Invicta Ct. *Bill* —4C **2**
Inworth Wlk. *W'fd* —3J **5**
Iona Way. *W'fd* —6H **5**
Ipswich M. *Lain* —7B **10**
Ironwell La. *Hock & R'fd* —1J **17**
Irvine Pl. *W'fd* —6H **5**
Irvine Way. *Bill* —6E **2**
Irvington Clo. *Lgh S* —1F **27**
Irvon Hill Rd. *W'fd* —4E **4**
Isabel Evans Ct. *Stan H* —2F **33**
Ivy Rd. *Ben* —6A **14**
Ivy Wlk. *Can I* —4D **34**

Jackdaw Clo. *Bill* —7G **3**
Jackdaw Clo. *Shoe* —4E **30**
Jacks Clo. *W'fd* —4H **5**
Jacksons La. *Bill* —4F **3**
Jacksons M. *Bill* —6G **3**
Jacqueline Gdns. *Bill* —3F **3**
James Sq. *Bill* —5J **3**
Janette Av. *Can I* —5C **34**
Jardine Rd. *Bas* —4G **13**

Mullions, The. *Bill* —4D **2**
Munro Ct. *W'fd* —6G **5**
Munsterburg Rd. *Can I* —3H **35**
Murrels La. *Hock* —4A **8**
Musket Gro. *Lgh S* —5D **16**
Mynchens. *Bas* —6G **11**

Namur Rd. *Can I* —4G **35**
Nansen Av. *R'fd* —5K **9**
Napier Av. *Sth S* —5D **28**
Napier Cres. *W'fd* —6G **5**
Napier Gdns. *Ben* —6J **15**
Napier Rd. *Ray* —1B **16**
Navestock Clo. *Ray* —1G **15**
Navestock Gdns. *Sth S* —4K **29**
Nayland Clo. *W'fd* —6G **5**
Nayland Ho. *Sth S* —6C **18**
(off Manners Way)
Nazeing, The. *Bas* —6C **12**
Neil Armstrong Way. *Lgh S*
—5J **17**
Nelson Clo. *Ray* —7K **7**
Nelson Dri. *Lgh S* —4H **27**
Nelson Gdns. *Ray* —7K **7**
Nelson M. *Sth S* —6E **28**
Nelson Rd. *Bas* —6C **12**
Nelson Rd. *Lgh S* —3J **27**
Nelson Rd. *Ray* —1B **16**
Nelson Rd. *R'fd* —5K **9**
Nelson St. *Sth S* —6E **28**
Ness Rd. *Shoe* —5D **30**
Nestuda Ho. *Lgh S* —5D **16**
Nestuda Way. *Sth S* —6K **17**
Netherfield. *Ben* —1G **25**
Nether Mayne. *Bas* —7J **11**
Nether Priors. *Bas* —6A **12**
Nevada Rd. *Can I* —3G **35**
Nevendon Grange. *W'fd* —5E **4**
Nevendon Rd. *Bas & W'fd* —2E **12**
(in three parts)
Nevendon Rd. By-Pass. *W'fd*
—6F **5**
Nevern Clo. *Ray* —4B **16**
Nevern Rd. *Ray* —4A **16**
Neville Shaw. *Bas* —6J **11**
New Av. *Bas* —1C **20**
Newberry Side. *Bas* —6E **10**
New Century Rd. *Lain* —6C **10**
New Cotts. *Bas* —7H **13**
Newell Av. *Shoe* —4G **31**
New England Cres. *Gt W* —2J **31**
New Farm Cotts. *Shoe* —4D **30**
Newhall. *R'fd* —5J **9**
New Hall Rd. *Hock* —2G **9**
Newhouse Av. *W'fd* —4B **4**
Newington Av. *Sth S* —3H **29**
Newington Clo. *Sth S* —3K **29**
Newlands Clo. *Bill* —3F **3**
Newlands End. *Bas* —4D **10**
Newlands Rd. *Bill* —3F **3**
Newlands Rd. *Can I* —3H **35**
(in two parts)
Newlands Rd. *W'fd* —7F **5**
New Pk. Rd. *Ben* —7C **14**
New Pk. Rd. *Hock* —3G **9**
Newport Ct. *Ray* —7F **7**
New Rd. *Ben* —2K **25**
New Rd. *Can I* —5C **34**
New Rd. *Gt W* —1H **31**
New Rd. *Lgh S* —5F **27**
New Rd. *L Bur* —2C **10**
New Sq. *Hock* —2C **8**
Newstead Rd. *Gt W* —1H **31**
Newsum Gdns. *Ray* —1G **15**
Newton Clo. *Corr* —2G **33**
Newton Hall Gdns. *R'fd* —5K **9**
Newton Pk. Rd. *Ben* —5H **15**
New Waverley Rd. *Bas* —3G **11**
Nicholl Rd. *Bas* —5E **10**
Nicholson Cres. *Ben* —2H **25**
Nicholson Gro. *W'fd* —6H **5**

Nicholson Rd. *Ben* —2H **25**
Nightingale Clo. *Sth S* —6C **18**
Nightingale Rd. *Can I* —5G **35**
Nightingales. *Bas* —7B **10**
Niton Ct. *Stan H* —7C **32**
Niven Clo. *W'fd* —6G **5**
Noak Hill Clo. *Bill* —1D **10**
Noak Hill Rd. *Bill & Bas* —7F **3**
Nobel Sq. *Burnt M* —2G **13**
Nobles Grn. Clo. *Lgh S* —5G **17**
Nobles Grn. Rd. *Lgh S* —5G **17**
Nordland Rd. *Can I* —4H **35**
Noredale. *Shoe* —6D **30**
Nore Rd. *Lgh S* —4E **16**
(in two parts)
Nore View. *Lang H* —2B **20**
Norfolk Av. *Lgh S* —2H **27**
Norfolk Clo. *Bas* —6C **10**
Norfolk Clo. *Can I* —3E **34**
Norfolk Way. *Can I* —1D **34**
Norman Cres. *Ray* —6J **7**
Norman Harris Ho. *Sth S* —6F **29**
Norman Pl. *Lgh S* —5G **27**
(off Church Hill)
Normans Rd. *Can I* —4H **35**
Norman Ter. *Lgh S* —5G **27**
(off Leigh Hill)
Norsey Clo. *Bill* —4F **3**
Norsey Ct. *Bill* —4F **3**
Norsey Dri. *Bill* —4G **3**
Norsey Rd. *Bill* —5F **3**
Norsey View Dri. *Bill* —1F **3**
Northampton Gro. *Lang H*
—1B **20**
North Av. *Can I* —4D **34**
North Av. *Sth S* —4F **29**
N. Benfleet Hall Rd. *N Ben*
—3K **13**
N. Colne. *Bas* —1B **22**
North Cres. *Sth S* —7A **18**
North Cres. *W'fd* —4F **5**
N. Crockerford. *Bas* —1C **22**
North Dri. *Hut* —4A **2**
Northern Av. *Ben* —7C **14**
Northfalls Rd. *Can I* —5K **35**
Northfield Clo. *Bill* —5G **3**
Northfield Cres. *Gt W* —1G **31**
Northfield Ho. *Sth S* —4D **28**
N. Gunnels. *Bas* —6K **11**
North Hill. *Horn H* —7B **20**
Northlands App. *Bas* —4E **20**
Northlands Clo. *Stan H* —2E **32**
Northlands Pavement. *Bas & Pits*
—7F **13**
North Rd. *Cray H* —6A **4**
North Rd. *Wclf S* —3C **28**
North Rd. Ind. Area. *Wclf S*
—4C **28**
N. Shoebury Rd. *Shoe* —3D **30**
North St. *Gt W* —1H **31**
North St. *Lgh S* —5G **27**
North St. *R'fd* —2D **18**
Northumberland Av. *Bas* —7E **10**
Northumberland Av. *Sth S* —6G **29**
Northumberland Cres. *Sth S*
—6H **29**
Northview Dri. *Wclf S* —4A **28**
Northville Dri. *Wclf S* —1A **28**
N. Weald Clo. *W'fd* —5K **5**
Northwick Rd. *Can I* —4A **34**
Norton Av. *Can I* —5J **35**
Norton Clo. *Corr* —3G **33**
Norwich Av. *Sth S* —2G **29**
Norwich Clo. *Sth S* —3G **29**
Norwich Cres. *Ray* —6G **7**
Norwich Wlk. *Bas* —5D **12**
Norwood Dri. *Ben* —4E **24**
Norwood End. *Bas* —5B **6**
Nottage Clo. *Corr* —3F **33**
Nottingham Way. *Lang H* —7B **10**
Nursery Clo. *Ray* —3K **15**
Nursery Gdns. *Lain* —4E **10**

Nursery Rd. *Stan H* —4E **32**
Nutcombe Cres. *R'fd* —7K **9**
Nuthatch Clo. *Bill* —7G **3**

Oak Av. *Cray H* —1A **12**
Oak Av. *W'fd* —4A **6**
Oak Chase. *W'fd* —4C **4**
Oak Ct. *Ben* —3A **26**
Oakdene Rd. *Pits* —4G **13**
Oakfield Clo. *Ben* —2C **24**
Oakfield Rd. *Ben* —2C **24**
Oakfield Rd. *Hock* —3G **9**
Oak Grn. *Bill* —6H **3**
Oakham Clo. *Lain* —7B **10**
Oakhurst Clo. *W'fd* —5E **4**
Oakhurst Dri. *W'fd* —5D **4**
Oakhurst Rd. *Ray* —4B **16**
Oakhurst Rd. *Sth S* —3E **28**
Oaklands M. *R'fd* —7J **9**
Oak La. *Cray H* —1A **12**
(in two parts)
Oakleigh Av. *Hull* —1J **7**
Oakleigh Av. *Sth S* —5H **29**
Oakleigh Pk. Dri. *Lgh S* —4G **27**
Oakleighs. *Ben* —1C **24**
Oakley Av. *Ray* —1F **15**
Oakley Dri. *Bill* —2D **2**
Oak Rd. *Bill* —1K **11**
Oak Rd. *Can I* —5G **35**
Oak Rd. *R'fd* —2C **18**
Oak Rd. N. *Ben* —3A **26**
Oak Rd. S. *Ben* —3A **26**
Oaks, The. *Bill* —7A **2**
Oak Wlk. *Ben* —4B **14**
(in two parts)
Oak Wlk. *Hock* —4E **8**
Oak Wlk. *Lgh S* —1F **27**
Oakwood Av. *Lgh S* —1G **27**
Oakwood Clo. *Ben* —7B **14**
Oakwood Gro. *Bas* —6F **13**
Oakwood Rd. *Corr* —3H **33**
Oakwood Rd. *Ray* —7G **7**
Oast Way. *R'fd* —2D **18**
Oban Ct. *W'fd* —6J **5**
Oban Rd. *Sth S* —4G **29**
Odessa Rd. *Can I* —5G **35**
O'Donaghue Houses. *Stan H*
—5E **32**
Ogilvie Ct. *W'fd* —6G **5**
Old Chu. Hill. *Lang H* —4B **20**
Old Chu. Rd. *Brtwd* —1A **2**
Old Chu. Rd. *Pits* —7K **13**
Old Farm Ct. *Bill* —3E **2**
Old Fortune Cotts. *Bas* —3F **11**
Old Hall Ct. *Gt W* —1G **31**
Old Hill Av. *Lang H* —5D **20**
Old Jenkins Clo. *Stan H* —6B **32**
Old Leigh Rd. *Lgh S* —4J **27**
Old London Rd. *Raw* —5B **6**
Old Mead. *Sth S* —5J **17**
Old Rectory Ct. *Sth S* —5J **29**
Old School Meadow. *Gt W* —1E **30**
Old Ship La. *R'fd* —2D **18**
Old Southend Rd. *Sth S* —6F **29**
Oldwyk. *Bas* —1C **22**
Olive Av. *Lgh S* —3C **26**
Olivers Cres. *Gt W* —1H **31**
Olivia Dri. *Lgh S* —3H **27**
Olympic Bus. Cen. *Bas* —2D **12**
One Tree Hill. *Stan H* —3H **21**
Orange Rd. *Can I* —4H **35**
Orchard Av. *Bill* —2G **3**
Orchard Av. *Hock* —4E **8**
Orchard Av. *Rams B* —1A **4**
Orchard Av. *Ray* —4J **15**
Orchard Clo. *Gt W* —1G **31**
Orchard Clo. *Hock* —4F **9**
Orchard Gro. *Lgh S* —6H **17**
Orchard Mead. *Lgh S* —7G **17**
Orchard Rd. *Ben* —5B **14**

Orchard Side. *Lgh S* —6H **17**
Orchard, The. *W'fd* —4D **4**
Orchard View. *Dun* —7A **10**
Orchill Dri. *Ben* —1A **26**
Orion Ct. *Bas* —3D **12**
Orkney Gdns. *W'fd* —6J **5**
Orlando Dri. *Bas* —3G **13**
Ormonde Av. *Ben* —3C **26**
Ormonde Av. *R'fd* —1C **18**
Ormonde Gdns. *Ben* —3C **26**
Ormsby Rd. *Can I* —6B **34**
Orrmo Rd. *Can I* —5K **35**
Orsett Av. *Lgh S* —7E **16**
Orsett End. *Bas* —5A **12**
Orsett Rd. *Ors & Horn H* —4A **32**
Orwell Ct. *W'fd* —6K **5**
Osborne Av. *Hock* —5C **8**
Osborne Rd. *Bas* —7A **12**
Osborne Rd. *Pits* —4J **13**
Osborne Rd. *Wclf S* —4C **28**
Osprey Clo. *Shoe* —3E **30**
Osterley Dri. *Bas* —7B **10**
Ouida Rd. *Can I* —5H **35**
Oulton Clo. *Can I* —3D **34**
Outing Clo. *Sth S* —6G **29**
Outwood Comn. Rd. *Bill* —3J **3**
Outwood Farm Clo. *Bill* —5J **3**
Outwood Farm Rd. *Bill* —5J **3**
Overcliff. *Wclf S* —6B **28**
Overton Clo. *Ben* —6C **14**
Overton Dri. *Ben* —6C **14**
Overton Rd. *Ben* —6B **14**
Overton Way. *Ben* —6B **14**
Ovington Gdns. *Bill* —2E **2**
Oxcroft Ct. *Lain* —6D **10**
Oxford Clo. *Lang H* —7B **10**
Oxford Rd. *Can I* —4G **35**
Oxford Rd. *R'fd* —7K **9**
Oxford Rd. *Stan H* —6B **32**
Oxley Gdns. *Stan H* —2D **32**
Oxwich Clo. *Corr* —3G **33**
Ozonia Av. *W'fd* —6E **4**
Ozonia Clo. *W'fd* —6D **4**
Ozonia Wlk. *W'fd* —6E **4**
Ozonia Way. *W'fd* —6E **4**

Paarl Rd. *Can I* —4E **34**
Paddock Clo. *Bill* —6A **2**
Paddock Clo. *Lgh S* —5G **17**
Paddocks, The. *Ray* —2B **16**
Page Rd. *Bas* —5K **13**
Paget Dri. *Bill* —2E **2**
Paignton Clo. *Ray* —6H **7**
Painswick Av. *Stan H* —2F **33**
Palace Ct. *Sth S* —6E **28**
Palace Gro. *Lain* —4G **11**
Palatine Pk. *Lain* —6B **10**
Pall Mall. *Lgh S* —4G **27**
Palmeira Arches. *Wclf S* —6B **28**
Palmeira Av. *Wclf S* —6B **28**
Palmeira Ct. *Wclf S* —6B **28**
Palmeira Pde. *Wclf S* —6B **28**
(off Station Rd.)
Palmer Clo. *Lain* —6F **11**
Palmer Ct. *Sth S* —5F **29**
Palmers. *Stan H* —4F **33**
Palmerstone Rd. *Can I* —5B **34**
Palmerston Rd. *Wclf S* —6B **28**
Palm M. *Lain* —3E **10**
Pamplins. *Bas* —6H **11**
Panadown. *Bas* —6H **11**
Panfields. *Bas* —6C **10**
Pantile Av. *Sth S* —2G **29**
Pantile Ho. *Sth S* —2G **29**
Pantiles, The. *Bill* —3E **2**
Papenburg Rd. *Can I* —2E **34**
Paprills. *Bas* —1G **21**
Parade, The. *Pits* —7F **13**
Pargat Dri. *Lgh S* —5E **16**
Pargeters Hyam. *Hock* —5F **9**
Pargeters Sq. *Sth S* —7E **18**

St Agnes Rd. *Bill* —1E **10**
St Andrews Clo. *Can I* —4B **34**
St Andrews La. *Lain* —5E **10**
St Andrews Rd. *R'fd* —2C **18**
St Andrew's Rd. *Shoe* —6C **30**
St Annes Clo. *Lain* —5E **10**
St Annes Rd. *Can I* —5H **35**
St Ann's Rd. *Sth S* —4E **28**
St Augustine's Av. *Sth S* —6B **30**
St Benet's Rd. *Sth S* —2D **28**
St Catherines Clo. *W'fd* —3H **5**
St Chad Clo. *Lain* —5E **10**
St Charles Dri. *W'fd* —4G **5**
St Christophers Clo. *Can I* —4B **34**
St Clare Meadow. *R'fd* —1D **18**
St Clements Av. *Lgh S* —3G **27**
St Clement's Clo. *Ben* —7C **14**
St Clement's Clo. *Hock* —7G **9**
St Clements Ct. *Lgh S* —5F **27**
St Clements Ct. E. Lgh S —5F **27**
    (off Broadway W.)
St Clement's Cres. *Ben* —7D **14**
St Clements Dri. *Lgh S* —2G **27**
St Clement's Rd. *Ben* —7C **14**
St Cleres Cres. *W'fd* —4H **5**
St David's Dri. *Lgh S* —2C **26**
St David's Rd. *Bas* —1D **20**
St David's Ter. *Lgh S* —2C **26**
St Davids Wlk. *Can I* —4B **34**
St David's Way. *W'fd* —4G **5**
St Edith's Ct. *Bill* —6E **2**
St Edith's La. *Bill* —6E **2**
St Edmund's Clo. *Sth S* —2G **29**
St Gabriels Ct. *Bas* —7F **13**
St George's Dri. *Wclf S* —2C **28**
St George's La. *Shoe* —6F **31**
St George's Pk. Av. *Wclf S* —4K **27**
St George's Wlk. *Ben* —6B **14**
St George's Wlk. *Can I* —4B **34**
St Guiberts Rd. *Can I* —3C **34**
St Helen's Rd. *Wclf S* —5C **28**
St Helens Wlk. *Bill* —3D **2**
St James Av. *Sth S* —6B **30**
St James Av. E. *Stan H* —4E **32**
St James Av. W. *Stan H* —4E **32**
St James Clo. *Can I* —4B **34**
St James Clo. *Wclf S* —2J **27**
St James Clo. *Wclf S* —2J **27**
St James M. *Bill* —5E **2**
St James Rd. *Van* —7B **12**
    (in two parts)
St James Wlk. Hock —5C **8**
    (off Belvedere Av.)
St John's Clo. *Gt W* —1H **31**
St Johns Clo. *Lain* —5E **10**
St John's Ct. *Wclf S* —6D **28**
St Johns Cres. *Can I* —4B **34**
St Johns Dri. *Ray* —7D **6**
St John's M. *Corr* —3F **33**
St John's Rd. *Ben* —2J **25**
St John's Rd. *Bill* —4B **3**
St John's Rd. *Gt W* —1H **31**
St John's Rd. *Wclf S* —5C **28**
St John's Way. *Corr* —3F **33**
St Katherines Ct. *Can I* —5C **34**
St Lawrence Ct. *Lgh S* —6G **17**
St Lawrence Gdns. *Lgh S* —6G **17**
St Leonard's Rd. *Sth S* —6F **29**
St Lukes Clo. *Can I* —4B **34**
St Luke's Rd. *Sth S* —3F **29**
St Margaret's Av. *Stan H* —7C **32**
St Marks Field. *R'fd* —2C **18**
St Mark's Rd. *Ben* —2J **25**
St Marks Rd. *Can I* —4B **34**
St Martin's Clo. *Ben* —5B **14**
St Martin's Clo. *Ray* —4J **15**
St Martins Sq. *Bas* —6J **11**
St Mary's Av. *Bill* —5E **2**
St Mary's Clo. *Ben* —4D **24**
St Mary's Clo. *Shoe* —2D **30**
St Mary's Ct. *Sth S* —3C **28**
St Mary's Cres. *Bas* —5G **13**

St Mary's Dri. *Ben* —4D **24**
St Mary's Path. *Bas* —5G **13**
St Mary's Rd. *Ben* —5D **24**
St Mary's Rd. *Sth S* —3D **28**
St Marys Rd. *W'fd* —6D **4**
St Michaels Av. *Bas* —1F **23**
St Michael's Rd. *Ben* —6B **16**
St Michaels Rd. *Can I* —4B **34**
St Nicholas La. *Bas* —5E **10**
St Omer Clo. *W'fd* —5G **5**
St Paul's Ct. Wclf S —5C **28**
    (off Salisbury Av.)
St Pauls Gdns. *Bill* —3E **2**
St Paul's Rd. *Can I* —4B **34**
St Peter's Ct. *Wclf S* —1A **28**
St Peter's Pavement. *Bas* —3D **12**
St Peters Rd. *Can I* —4B **34**
St Peters Rd. *Hock* —4B **8**
St Peter's Ter. *W'fd* —4E **4**
St Peters Wlk. *Bill* —3D **2**
St Vincents Rd. *Wclf S* —6C **28**
Sairard Clo. *Lgh S* —5F **17**
Sairard Gdns. *Lgh S* —5F **17**
Salcott Cres. *W'fd* —4F **5**
Salem Wlk. *Ray* —7F **7**
Salesbury Dri. *Bill* —5H **3**
Saling Grn. *Bas* —2H **11**
Salisbury Av. *Stan H* —6D **32**
Salisbury Av. *Wclf S* —4C **28**
Salisbury Ct. *Lgh S* —4F **27**
Salisbury Rd. *Lgh S* —3E **26**
Salisbury Side. *Bas* —5D **12**
Saltings, The. *Ben* —2K **25**
Samson Ho. *Lain* —3D **10**
Samuel Rd. *Bas* —1D **20**
Samuels Dri. *Sth S* —4B **30**
Sanctuary Garden. *Stan H* —5E **32**
Sanctuary Rd. *Lgh S* —2C **26**
Sandbanks. *Ben* —3K **25**
Sanderlings. *Ben* —3C **24**
Sanderson Ct. *Ben* —7C **14**
Sanders Rd. *Can I* —2E **34**
Sandhill Rd. *Lgh S* —4E **16**
Sandhurst. *Can I* —5A **34**
Sandhurst Clo. *Lgh S* —1H **27**
Sandhurst Cres. *Lgh S* —1H **27**
Sandleigh Rd. *Lgh S* —4J **27**
Sandon Clo. *Bas* —7D **12**
Sandon Clo. *R'fd* —1B **18**
Sandon Ct. *Bas* —7D **12**
Sandon Rd. *Bas* —7D **12**
Sandown Av. *Wclf S* —3K **27**
Sandown Clo. *W'fd* —4H **5**
Sandown Rd. *Ben* —5H **15**
Sandown Rd. *W'fd* —4J **5**
Sandpiper Clo. *Shoe* —4E **30**
Sandpipers. Shoe —6G **31**
    (off Rampart Ter.)
Sandpit Rd. *Shoe* —4H **31**
Sandringham Av. *Hock* —5C **8**
Sandringham Clo. *Stan H* —4E **32**
Sandringham Rd. *Lain* —4G **11**
Sandringham Rd. *Sth S* —5H **29**
San Remo Pde. *Wclf S* —6C **28**
San Remo Rd. *Can I* —5H **35**
Santour Rd. *Can I* —3C **34**
Sark Gro. *W'fd* —6J **5**
Satanita Rd. *Wclf S* —5A **28**
Savoy Clo. *Lang H* —7C **10**
Saxon Clo. *Ray* —6J **7**
Saxon Clo. *W'fd* —2G **5**
Saxon Ct. *Ben* —7C **14**
    (in two parts)
Saxon Gdns. *Shoe* —5C **30**
Saxonville. *Ben* —1B **24**
Saxon Way. *Ben* —3C **24**
Sayers. *Ben* —6G **15**
Scaldhurst. *Pits* —4G **13**
Scarborough Dri. *Lgh S* —3G **27**
Scarletts. *Bas* —4A **12**
School La. *Ben* —5D **24**
School La. *N Ben* —2A **14**

School Rd. *Bill* —7E **2**
School Way. *Lgh S* —2H **27**
Scimitar Pk. *Bas* —2H **13**
Scott Dri. *W'fd* —6G **5**
Scott Ho. *Lgh S* —5J **17**
Scotts Wlk. *Ray* —2C **16**
Scratton Rd. *Sth S* —6D **28**
Scratton Rd. *Stan H* —5D **32**
Scrub La. *Ben* —2A **26**
Scrub Rise. *Bill* —7D **2**
Seabrink. *Lgh S* —5H **27**
Seaforth Av. *Sth S* —3G **29**
Seaforth Gro. *Sth S* —3H **29**
Seaforth Rd. *Wclf S* —6B **28**
Seamore Av. *Ben* —6C **14**
Seamore Clo. *Ben* —6B **14**
Seamore Wlk. *Ben* —5C **14**
Sea Reach. *Lgh S* —5G **27**
Seaview Av. *Bas* —2B **22**
Seaview Dri. *Gt W* —1J **31**
Seaview Rd. *Can I* —5J **35**
Seaview Rd. *Lgh S* —5G **27**
Seaview Rd. *Shoe* —6D **30**
Seaview Ter. *Ben* —4K **25**
Seaway. *Can I* —6F **35**
Seaway. *Sth S* —6F **29**
Seax Ct. *Bas* —5B **10**
Seax Way. *Bas* —5B **10**
Sebert Clo. *Bill* —6B **2**
Second Av. *Ben* —6G **15**
Second Av. *Can I* —4B **34**
Second Av. *Hull* —2K **7**
Second Av. *Lang H* —1A **20**
Second Av. *Stan H* —4D **32**
Second Av. *Wclf S* —6K **27**
Second Av. *W'fd* —5J **5**
Seddons Wlk. *Hock* —5E **8**
Sedgemoor. *Shoe* —2D **30**
Selbourne Rd. *Ben* —7D **14**
Selbourne Rd. *Hock* —5E **8**
Selbourne Rd. *Sth S* —2F **29**
Seldon Clo. *Wclf S* —2K **27**
Selworthy Clo. *Bill* —6A **2**
Selwyn Rd. *Sth S* —3G **29**
Semples. *Stan H* —5F **33**
Seven Acres. *W'fd* —3G **5**
Seventh Av. *Can I* —4C **34**
Sewards End. *W'fd* —5G **5**
Seymour Clo. *Lain* —6F **11**
Seymour Gdns. *Bill* —2E **2**
Seymour Rd. *Ben* —3B **26**
Seymour Rd. *Wclf S* —4A **28**
Shaftesbury Av. *Sth S* —7H **29**
Shaftesbury Ct. *Pits* —4F **13**
Shakespeare Av. *Bas* —7C **10**
Shakespeare Av. *Bill* —5G **3**
Shakespeare Av. *Ray* —2C **16**
Shakespeare Av. *Wclf S* —3C **28**
Shakespeare Dri. *Wclf S* —3C **28**
Shalford Rd. *Bill* —5H **3**
Shanklin Av. *Bill* —5E **2**
Shanklin Dri. *Wclf S* —3K **27**
Shannon Av. *Ray* —3J **15**
Shannon Clo. *Lgh S* —1G **27**
Shannon Sq. *Can I* —5B **34**
Shannon Way. *Can I* —5B **34**
Sharlands Clo. *W'fd* —3H **5**
Sharnbrook. *Shoe* —2D **30**
Shaw Clo. *W'fd* —6F **5**
Sheering Ct. *Ray* —1G **15**
Sheldon Av. *Corr* —2H **33**
Sheldon Rd. *Can I* —5J **35**
Shellbeach Rd. *Can I* —6H **35**
Shelley Av. *Bas* —7C **10**
Shelley Pl. *Ray* —1G **15**
Shelley Sq. *Sth S* —3F **29**
Shelsley Dri. *Bas* —2E **20**
Shepard Clo. *Lgh S* —6J **17**
Shepeshall. *Bas* —6G **11**
Shepherds Clo. *Ben* —1A **26**
Shepherds Wlk. *Ben* —1A **26**
Sherborne Dri. *Bas* —3E **12**

Sherbourne Gdns. *Sth S* —6D **18**
Sheridan Av. *Ben* —2H **25**
Sheridan Clo. *Ray* —2B **16**
Sheringham Clo. *Stan H* —4E **32**
Sheriton Sq. *Ray* —7H **7**
Sherry Way. *Ben* —6A **16**
Sherwood Clo. *Lang H* —1C **20**
Sherwood Cres. *Ben* —1A **26**
Sherwood Way. *Sth S* —2J **29**
Shillingstone. *Shoe* —3D **30**
Shipwrights Clo. *Ben* —3H **25**
Shipwrights Dri. *Ben* —3H **25**
Shire Clo. *Bill* —3H **3**
Shirley Gdns. *Bas* —4G **13**
Shirley Rd. *Lgh S* —7G **17**
Shoebury Av. *Shoe* —5F **31**
Shoebury Comn. Rd. *Shoe* —7C **30**
Shoebury Rd. *Gt W* —1H **31**
Shoebury Rd. *Sth S* —3A **30**
Shopland Rd. *R'fd & Gt W* —5F **19**
Shorefield Ct. Wclf S —6C **28**
    (off Station Rd.)
Shorefield Gdns. *Wclf S* —6C **28**
Shorefield Rd. *Wclf S* —6B **28**
Shorefields. *Ben* —2B **24**
Shortacre. *Bas* —6A **12**
Shortlands. *Bas* —6K **11**
Short Rd. *Ben* —3K **25**
Short Rd. *Can I* —4F **35**
Short St. *Sth S* —4E **28**
Shrewsbury Clo. *Lang H* —7B **10**
Shrewsbury Dri. *Ben* —5D **14**
Shrubbery Clo. *Lain* —4F **11**
Sidmouth Av. *Wclf S* —7B **18**
Sidwell Av. *Ben* —4E **24**
Sidwell Chase. *Ben* —4E **24**
Sidwell La. *Ben* —4E **24**
Sidwell Pk. *Ben* —4E **24**
Silchester Corner. *Gt W* —1B **30**
Silva Island Way. *W'fd* —6H **5**
Silverdale. *Ben* —5F **15**
Silverdale. *Ray* —4A **16**
Silverdale. *Stan H* —3D **32**
Silverdale Av. *Wclf S* —3C **28**
Silverdale E. *Stan H* —3D **32**
Silvermere. *Bas* —7C **10**
Silverpoint Marine. *Can I* —5K **35**
Silversea Dri. *Wclf S* —3J **27**
Silverthorn. *Can I* —5D **34**
Silverthorn Clo. *R'fd* —7K **9**
Silvertown Av. *Stan H* —5D **32**
Silvertree Clo. *Hock* —5B **8**
Silver Way. *W'fd* —3E **4**
Simon Way. *Bill* —6D **2**
Sinclair Wlk. *W'fd* —6F **5**
Sirdar Rd. *Ray* —4K **15**
Sir Walter Raleigh Dri. *Ray* —7F **7**
Sixth Av. *Ben* —7G **15**
Sixth Av. *Can I* —4C **34**
Skelter Steps. Sth S —6G **29**
    (off Hawtree Clo.)
Skylark Clo. *Bill* —6G **3**
Slades, The. *Bas* —3C **22**
Sloane M. *Bill* —2D **2**
Smallgains Av. *Can I* —4H **35**
Smartt Av. *Can I* —4E **34**
Smilers Ind. Est. *Bas* —4K **13**
Smithers Chase. *Sth S* —7F **19**
Smith St. *Shoe* —6F **31**
Smythe Clo. *Bill* —2H **3**
Smythe Rd. *Bill* —2H **3**
Snakes La. *Sth S* —7H **17**
Snowdonia Clo. *Pits* —4G **13**
Soane St. *Bas* —3F **13**
Softwater La. *Ben* —2K **25**
Solby's La. *Ben* —2A **26**
Somercotes Ct. *Bas* —7E **10**
Somerdean. Bas —6G **13**
    (off Manor Av.)
Somerdene. *Bas* —6G **13**
Somerset Av. *R'fd* —1C **18**
Somerset Av. *Wclf S* —1K **27**

Somerset Cres. *Wclf S* —1K **27**
Somerset Gdns. *Bas & Pits*
  (in two parts) —6F **13**
Somerset Rd. *Bas* —6D **10**
Somerton Av. *Wclf S* —7K **17**
Somerville Gdns. *Lgh S* —5H **27**
Somnes Av. *Can I* —2C **34**
Sonning Way. *Shoe* —3D **30**
Sopwith Cres. *W'fd* —6K **5**
Sorrells, The. *Ben* —5D **14**
Sorrells, The. *Stan H* —5F **33**
South Av. *Hull* —2J **7**
South Av. *Lang H* —5D **20**
South Av. *Sth S* —4F **29**
S. Beech Av. *W'fd* —4F **5**
Southborough Dri. *Wclf S* —3K **27**
Southbourne Gdns. *Wclf S* —1K **27**
Southbourne Gro. *Hock* —5G **9**
Southbourne Gro. *Wclf S* —4K **27**
Southbourne Gro. *W'fd* —3C **4**
Southchurch Av. *Shoe* —5G **31**
Southchurch Av. *Sth S* —5F **29**
Southchurch Boulevd. *Sth S*
  —4J **29**
Southchurch Hall Clo. *Sth S*
  —5G **29**
Southchurch Rectory Chase.
  Sth S —4J **29**
Southchurch Rd. *Sth S* —5E **28**
Southcliff. *Ben* —1C **24**
S. Colne. *Bas* —1B **22**
Southcote Cres. *Bas* —4C **12**
Southcote Row. *Bas* —4D **12**
Southcote Sq. *Bas* —4C **12**
South Cres. *Sth S* —7B **18**
S. Crockerford. *Bas* —1C **22**
Southend Airport Retail Pk. *Sth S*
  —6C **18**
Southend Arterial Rd. *Bas & W'fd*
  —4A **10**
Southend Arterial Rd. *Ray &*
  Lgh S —2D **14**
Southend Rd. *Bill* —6F **3**
Southend Rd. *Gt W* —1B **30**
Southend Rd. *Hock* —6D **8**
Southend Rd. *R'fd* —6D **18**
Southend Rd. *Stan H* —5D **32**
Southend Rd. *W'fd* —3G **5**
  (in two parts)
Southernhay. *Bas* —7J **11**
  (in two parts)
Southernhay. *Lgh S* —7F **17**
Southfalls Rd. *Can I* —5K **35**
Southfield Clo. *Ben* —7A **16**
Southfield Dri. *Ben* —7A **16**
Southfields Ind. Pk. *Bas* —5B **10**
S. Gunnels. *Bas* —6K **11**
S. Hanningfield Way. *Runw* —1F **5**
  (in two parts)
South Hill. *Horn H* —4A **32**
South Hill. *Stan H & Lang H*
  —7B **20**
S. Hill Cres. *Horn H* —4A **32**
Southlands Cotts. *W'fd* —1J **5**
Southlands Rd. *Cray H* —5A **4**
S. Mayne. *Bas* —6D **12**
South Pde. *Can I* —6J **35**
S. Ridge. *Bill* —6G **3**
S. Riding. *Bas* —6C **12**
South Rd. *Bill* —6A **4**
South Rd. *Stan H* —4A **22**
Southsea Av. *Lgh S* —3F **27**
South St. *R'fd* —3D **18**
S. View Clo. *Ray* —4B **16**
Southview Dri. *Bas* —4H **13**
Southview Dri. *Wclf S* —4A **18**
Southview Rd. *Van* —7C **12**
South Wlk. *Bas* —7J **11**
Southwalters. *Can I* —4D **34**
Southwark Path. *Bas* —5D **12**

S. Wash Rd. *Lain* —3G **11**
Southway. *Bas* —4G **21**
Southwell Rd. *Ben* —1E **24**
Southwick Gdns. *Can I* —5D **34**
Southwick Rd. *Can I* —5D **34**
Southwold Cres. *Ben* —7C **14**
Southwood Gdns. *Lgh S* —4D **16**
Sovereign Clo. *R'fd* —2C **18**
Spa Clo. *Hock* —5E **8**
Spa Ct. *Hock* —5E **8**
Spains Hall Pl. *Bas* —7A **12**
Spanbeek Rd. *Can I* —3F **35**
Sparkbridge. *Lain* —6C **10**
Spa Rd. *Hock* —5D **8**
Sparrows Herne. *Bas* —2J **21**
Spellbrook Clo. *W'fd* —5H **5**
Spencer Gdns. *R'fd* —6K **9**
Spencer Ho. *Lgh S* —2G **27**
Spencer Rd. *Ben* —7D **14**
Spencers. *Hock* —7F **9**
Spencers Ct. *W'fd* —4E **4**
Spenders Clo. *Bas* —4B **12**
Speyside Wlk. *W'fd* —6G **5**
Spindle Beams. *R'fd* —3D **18**
Spinnakers, The. *Ben* —1B **24**
Spinney Clo. *W'fd* —4H **5**
Spinneys, The. *Hock* —6D **8**
Spinneys, The. *Lgh S* —5H **17**
Spinneys, The. *Ray* —3C **16**
Spinney, The. *Bill* —3F **3**
Spinneywood. *Lain* —4C **10**
Spire Rd. *Lain* —5E **10**
Sporhams. *Bas* —1G **21**
Springfield. *Ben* —1K **25**
Springfield Ct. *Ray* —7E **6**
Springfield Dri. *Wclf S* —2B **28**
Springfield Rd. *Ben* —2F **3**
Springfield Rd. *Can I* —5K **35**
Springfield Rd. *W'fd* —3H **5**
Springfields. *Bas* —2D **22**
Spring Gdns. *Ray* —2J **15**
Springhouse La. *Corr* —4G **33**
Springhouse Rd. *Corr* —3E **32**
Springleigh Pl. *Wclf S* —3B **28**
Springwater Clo. *Lgh S* —5E **16**
Springwater Gro. *Lgh S* —5E **16**
Springwater Rd. *Lgh S* —4D **16**
Spruce Clo. *Lain* —3E **10**
Sprundel Av. *Can I* —6H **35**
Spur, The. *Hock* —2C **8**
Square, The. *Horn H* —4A **32**
Squirrels. *Lain* —2D **20**
Stacey Dri. *Bas* —4E **13**
Stack Av. *Bas* —1A **20**
Stadium Rd. *Sth S* —4E **28**
Stadium Trad. Est. *Ray* —5K **15**
Stadium Way. *Ben* —5J **15**
Stafford Clo. *Lgh S* —6J **17**
Stafford Grn. *Lang H* —1B **20**
Stafford Wlk. *Can I* —3E **34**
Stagden Cross. *Bas* —7D **12**
Stairs Rd. *Gt W* —1K **31**
Stambridge Rd. *R'fd* —2D **18**
Staneway. *Bas* —2E **20**
Stanfield Rd. *Sth S* —4E **28**
Stanford Hall. *Corr* —4F **33**
Stanford-le-Hope By-Pass. *Stan H*
  —2D **32**
Stanford Rd. *Can I* —5E **34**
Stanford Rd. *Grays & Stan H*
  —7A **32**
Stanier Clo. *Sth S* —5G **29**
Stanley Rd. *Ben* —7D **14**
Stanley Rd. *Can I* —4H **35**
Stanley Rd. *R'fd* —4J **9**
Stanley Rd. *Sth S* —6F **29**
Stanley Ter. *Bill* —6E **2**
Stanmore Rd. *W'fd* —5K **5**
Stannetts. *Lain* —4D **10**
Stansfield Ct. *Ben* —5B **14**
  (off Stansfield Rd.)
Stansfield Rd. *Ben* —5B **14**

Stansted Clo. *Bill* —5H **3**
Stanway Rd. *Ben* —7C **14**
Stapleford End. *W'fd* —6K **5**
Staplegrove. *Shoe* —4D **30**
Star La. *Gt W* —1E **30**
Star La. Ind. Est. *Gt W* —1F **31**
Station App. *Can I* —2D **34**
Station App. *Hock* —5E **8**
Station App. *Lain* —7E **10**
Station App. *Pits* —1F **23**
Station App. *Sth S* —3D **28**
  (Prittlewell)
Station App. *Sth S* —5E **28**
  (Southend Central)
Station App. *W'fd* —3F **5**
Station Av. *Ray* —1H **15**
Station Av. *Sth S* —2E **28**
Station Av. *W'fd* —3E **4**
Station Ct. *W'fd* —3F **5**
Station Cres. *Ray* —1K **15**
Station Ga. *Lain* —7E **10**
Station La. *Bas* —7F **13**
Station Rd. *Ben* —5D **24**
Station Rd. *Bill* —5D **2**
Station Rd. *Can I* —5J **35**
Station Rd. *Hock* —5E **8**
Station Rd. *Lgh S* —2G **27**
  (in two parts)
Station Rd. *Ray* —1J **15**
Station Rd. *Sth S* —4B **30**
Station Rd. *Wclf S* —5A **28**
Station Rd. *W'fd* —1E **4**
Station Way. *Bas* —7J **11**
Stebbings. *Bas* —1E **20**
Steeple Clo. *R'fd* —1B **18**
Steeplefield. *Lgh S* —6F **17**
Steeplehall. *Ben* —7F **13**
Steeple Heights. *Ben* —6A **14**
Steli Av. *Can I* —2D **34**
Stella Maris Clo. *Can I* —5K **35**
Stephenson Rd. *Lgh S* —6E **16**
Sterling Clo. *Ray* —6F **7**
Stevens Clo. *Can I* —4H **35**
Stevenson Way. *W'fd* —6E **4**
Stewart Ct. *Lgh S* —3D **26**
Stewart Pl. *W'fd* —5H **5**
Steyning Av. *Sth S* —3J **29**
Stile La. *Ray* —2K **15**
Stilemans. *W'fd* —3F **5**
Stirling Av. *Lgh S* —3D **26**
Stirling Pl. *Bas* —4F **13**
Stock Clo. *Sth S* —1D **28**
Stock Ind. Pk. *Sth S* —1D **28**
Stock Pk. Ct. *Lgh S* —6G **17**
Stock Rd. *Bill & Stock* —4F **3**
Stock Rd. *Sth S* —7D **18**
Stockwell Clo. *Bill* —6B **2**
Stockwood. *Ben* —5H **15**
Stokefelde. *Pits* —5F **13**
Stonechat Rd. *Bill* —7G **3**
Stonehill Clo. *Lgh S* —1H **27**
Stonehill Rd. *Lgh S* —1G **27**
Stoneleighs. *Ben* —6F **15**
Stormonts Way. *Bas* —3F **21**
Stornoway Rd. *Sth S* —4G **29**
Stour Clo. *Shoe* —6E **30**
Strangman Av. *Ben* —2H **25**
Strasbourg Rd. *Can I* —3H **35**
Stratford Gdns. *Stan H* —4D **32**
Stroma Av. *Can I* —2D **34**
Stroma Gdns. *Shoe* —6D **30**
Stromburg Rd. *Can I* —3C **34**
Stromness Pl. *Sth S* —5G **29**
Stromness Rd. *Sth S* —4G **29**
Struan Av. *Stan H* —7G **21**
Stuart Clo. *Can I* —4F **35**
Stuart Clo. *Gt W* —1F **31**
Stuart Clo. *Sth S* —3E **28**
Stuart Rd. *Sth S* —3E **28**
Stuart Way. *Bill* —6J **3**
Stublands. *Bas* —6D **12**
Studland Av. *W'fd* —3B **4**

Sturrocks. *Bas* —2C **22**
Sudbrook Clo. *W'fd* —5F **5**
Sudbury Clo. *Hock* —7F **9**
Sudbury Rd. *Can I* —2C **34**
Sudeley Gdns. *Hock* —5D **8**
Suffolk Av. *Lgh S* —2H **27**
Suffolk Ct. *R'fd* —2C **18**
Suffolk Dri. *Bas* —6D **10**
Suffolk Wlk. *Can I* —4C **34**
Suffolk Way. *Can I* —4C **34**
Sugden Av. *W'fd* —4C **4**
Sullivan Way. *Lang H* —7C **10**
Summercourt Rd. *Wclf S* —5C **28**
Summerdale. *Bill* —5E **2**
Summerwood Clo. *Ben* —2J **25**
Sumpters Way. *Sth S* —6D **18**
Sunbury Ct. *Shoe* —2E **30**
Sunnedon. *Bas* —7B **12**
Sunnedon Ct. *Van* —7B **12**
Sunningdale. *Lain* —4G **35**
Sunningdale Av. *Lgh S* —4J **27**
Sunnybank Clo. *Lgh S* —6H **17**
Sunnyfield Gdns. *Hock* —5B **8**
Sunnymede Clo. *Ben* —6G **15**
Sunny Rd. *Hock* —6E **8**
Sunnyside. *Bas* —1B **20**
Sunnyside Av. *Bas* —1G **23**
Sun St. *Bill* —6E **2**
Surbiton Av. *Sth S* —5H **29**
Surbiton Rd. *Sth S* —4H **29**
Surig Rd. *Can I* —4E **34**
Surrey Av. *Lgh S* —2H **27**
Surrey Way. *Bas* —6D **10**
Susan Fielder Cotts. *Can I* —5E **34**
  (off Kitkatts Rd.)
Sussex Clo. *Bas* —6D **10**
Sussex Clo. *Can I* —3E **34**
Sussex Ct. *Bill* —1F **3**
Sussex Way. *Bill* —1F **3**
Sussex Way. *Can I* —3E **34**
Sutcliffe Clo. *W'fd* —5F **5**
Sutherland Boulevd. *Lgh S*
  —3D **26**
Sutherland Pl. *W'fd* —6F **5**
Sutton Ct. *Sth S* —3G **29**
Sutton Ct. Dri. *R'fd* —5D **18**
Sutton Rd. *R'fd & Sth S* —4D **18**
Suttons Rd. *Shoe* —5H **31**
Swains Ind. Est. *R'fd* —1B **18**
Swale Rd. *Ben* —7H **15**
Swallowcliffe. *Shoe* —3D **30**
Swallow Dale. *Bas* —1K **21**
Swallow Dri. *Ben* —3B **24**
Swallow Rd. *W'fd* —1E **4**
Swallows, The. *Bill* —7G **3**
Swanage Rd. *Sth S* —4F **29**
Swan Clo. *Bas* —6G **11**
Swan Ct. *Ben* —7B **14**
Swan La. *Runw & W'fd* —1F **5**
Swan Mead. *Bas* —1B **22**
Swans Grn. Clo. *Ben* —6G **15**
Swanstead. *Bas* —1C **22**
Swatchways. *Sth S* —7H **29**
Sweet Briar Av. *Ben* —3D **24**
Sweet Briar Dri. *Lain* —3F **11**
Sweetbriar Lodge. *Can I* —4C **34**
  (off Link Rd.)
Sweyne Av. *Hock* —7G **9**
Sweyne Av. *Sth S* —4D **28**
Sweyne Clo. *Ray* —7F **7**
Sweyne Ct. *Ray* —2K **15**
Swinborne Ct. *Bas* —2F **13**
Swinborne Rd. *Bas* —3G **13**
Swingboat Ter. *Sth S* —6G **29**
  (off Outing Clo.)
Sycamore Clo. *Can I* —5D **34**
Sycamore Ct. *W'fd* —3F **5**
Sycamore Gro. *Sth S* —3F **29**
Sycamores, The. *Bas* —6G **13**
Sydervelt Rd. *Can I* —4E **34**
Sydney Rd. *Ben* —1C **24**
Sydney Rd. *Lgh S* —3D **26**

Sykes Mead—Vanguards, The

Sykes Mead. *Ray* —3K **15**
Sylvan Clo. *Can I* —6F **35**
Sylvan Clo. *Lain* —6D **10**
Sylvan Ct. *Bas* —5B **10**
Sylvan Tryst. *Bill* —3F **3**
Sylvan Way. *Lain* —5B **10**
Sylvan Way. *Lgh S* —1C **26**
Symons Av. *Lgh S* —5G **17**

Tabora Av. *Can I* —3D **34**
Tailors Ct. *Sth S* —7D **18**
Taits. *Stan H* —5F **33**
Takely End. *Bas* —7J **11**
Takely Ride. *Bas* —7J **11**
Talbot Av. *Ray* —1J **15**
Talisman Wlk. *Bill* —1H **3**
Tallis Clo. *Stan H* —4C **32**
Tallis Rd. *Bas* —4F **11**
Talza Way. Sth S —5E **28**
   (off Victoria Plaza Shop. Cen.)
Tamarisk. *Ben* —1C **24**
Tanfield Dri. *Bill* —5E **2**
Tangham Wlk. *Bas* —5K **11**
Tangmere Clo. *W'fd* —5K **5**
Tankerville Dri. *Lgh S* —2F **27**
Tanswell Av. *Bas* —6F **13**
Tanswell Clo. *Bas* —6F **13**
Tanswell Ct. *Bas* —5F **13**
Tantelen Rd. *Can I* —3D **34**
Taranto Rd. *Can I* —5H **35**
Tasman Clo. *Corr* —3F **33**
Tattenham Rd. *Bas* —5D **10**
   (in two parts)
Tattersall Gdns. *Lgh S* —4C **26**
Taunton Dri. *Wclf S* —1K **27**
Taveners Grn. Clo. *W'fd* —5G **5**
Tavistock Dri. *Bill* —2D **2**
Tavistock Rd. *Bas* —4E **10**
Taylor Wlk. *Bas* —1D **20**
Tayside Way. *W'fd* —6F **5**
Teagles. *Bas* —6G **11**
Teigngrace. *Shoe* —4D **30**
Teignmouth Dri. *Ray* —6H **7**
Telese Av. *Can I* —5H **35**
Temple Clo. *Ben* —2B **26**
Temple Clo. *Bill* —2D **2**
Temple Clo. *Lain* —5E **10**
Temple Ct. *Sth S* —2G **29**
Temple Farm Ind. Est. *Sth S*
   —7E **18**
Templewood Ct. *Ben* —2K **25**
Templewood Rd. *Ben* —2K **25**
Temptin Av. *Can I* —5J **35**
Tendring Av. *Ray* —1G **15**
Tennyson Av. *Sth S* —3F **29**
Tennyson Clo. *Lgh S* —3C **26**
Tennyson Dri. *Bas* —7F **13**
Tensing Gdns. *Bill* —6E **2**
Tenterfields. *Pits* —4G **13**
Teramo Rd. *Can I* —5H **35**
Terence Webster Rd. *W'fd* —5G **5**
Terling. *Bas* —7K **11**
Terminal Clo. *Shoe* —5F **31**
Terminal Clo. Ind. Est. *Shoe*
   —5F **31**
Terminus Dri. *Bas* —1F **23**
Terms Av. *Can I* —3E **34**
Terni Rd. *Can I* —5H **35**
Terrace, The. *Ben* —5D **24**
Terrace, The. *Lgh S* —5G **27**
Terrace, The. *Shoe* —6F **31**
Tewkes Rd. *Can I* —3H **35**
Thackeray Row. *W'fd* —6F **5**
Thames Clo. *Corr* —4G **33**
Thames Clo. *Lgh S* —4D **26**
Thames Clo. *Ray* —3J **15**
Thames Cres. *Corr* —2H **33**
Thames Dri. *Lgh S* —4C **26**
Thames Haven Rd. *Corr* —4H **33**
Thameside Cres. *Can I* —5D **34**
Thames Rd. *Can I* —6D **34**

Thames View. *Bas* —4E **20**
Thamesview Ct. *Ben* —3B **26**
Thanet Grange. *Sth S* —7A **18**
Thear Clo. *Wclf S* —1A **28**
Thelma Av. *Can I* —4E **34**
Theobald's Ct. *Lgh S* —4E **26**
Theobald's Rd. *Lgh S* —4E **26**
Thetford Pl. *Bas* —3F **11**
Theydon. *Bas* —3D **12**
Theydon Cres. *Bas* —3D **12**
Thielen Rd. *Can I* —4E **34**
Third Av. *Bas* —2A **20**
Third Av. *Ben* —6G **15**
Third Av. *Can I* —4C **34**
Third Av. *Stan H* —3E **32**
Third Av. *W'fd* —5J **5**
Third Wlk. *Can I* —4C **34**
Thirlmere Rd. *Ben* —5E **14**
Thissett Rd. *Can I* —3E **34**
Thistle Clo. *Lain* —3H **11**
Thistledown. *Bas* —6A **12**
Thistledown Ct. *Bas* —6A **12**
Thistley Clo. *Lgh S* —1H **27**
Thomas Dri. *Can I* —3C **34**
Thomasin Rd. *Bas* —3G **13**
Thomas Rd. *Bas* —5J **13**
Thompson Av. *Can I* —5K **35**
Thorington Av. *Ben* —6K **15**
Thorington Rd. *Ray* —3C **16**
Thornbridge. *Ben* —1B **24**
Thornbush. *Bas* —6G **11**
Thorndale. *Ben* —5H **15**
Thorndon Pk. Clo. *Lgh S* —7E **16**
Thorndon Pk. Cres. *Lgh S* —7D **16**
Thorndon Pk. Dri. *Lgh S* —7D **16**
Thorney Bay Beech Camp. *Can I*
   —6D **34**
Thorney Bay Rd. *Can I* —5D **34**
Thornford Gdns. *Sth S* —7D **18**
Thornhill. *Lgh S* —1G **27**
Thornton Way. *Bas* —6C **10**
Thorolds. *Bas* —2C **22**
Thorpe Bay Gdns. *Sth S* —6A **30**
Thorpe Clo. *Hock* —7F **9**
Thorpedene Gdns. *Shoe* —5D **30**
Thorpedene Av. *Hull* —1J **7**
Thorpe Esplanade. *Sth S* —7K **29**
Thorpe Gdns. *Hock* —7F **9**
Thorpe Hall Av. *Sth S* —3A **30**
Thorpe Hall Clo. *Sth S* —4A **30**
Thorpe Leas. *Can I* —6F **35**
Thorpe Rd. *Hock* —7F **9**
Thorrington Cross. *Bas* —6A **12**
Thors Oak. *Stan H* —5E **32**
Threshelford. *Bas* —1H **21**
Throwley Clo. *Bas* —7G **13**
Thundersley Chu. Rd. *Ben* —7D **14**
   (in two parts)
Thundersley Gro. *Ben* —7F **15**
Thundersley Pk. Rd. *Ben* —3D **24**
Thurlow Dri. *Sth S* —5K **29**
Thurlstone. *Ben* —7J **15**
Thurston Av. *Sth S* —4J **29**
Thynne Rd. *Bill* —5G **3**
Tickfield Av. *Sth S* —3D **28**
Tidworth Av. *Runw* —1G **5**
Tilburg Rd. *Can I* —4E **34**
   (in two parts)
Tillingham Grn. *Bas* —6C **10**
Tillingham Way. *Ray* —1G **15**
Tilney Turn. *Bas* —1C **22**
   (in two parts)
Timberlog Clo. *Bas* —6C **12**
Timberlog La. *Bas* —6C **12**
Timbermans View. *Bas* —1D **22**
Tinker's La. *R'fd* —4D **18**
Tinker Side. *Bas* —6K **11**
Tintern Av. *Wclf S* —4A **28**
Tiptree Clo. *Lgh S* —1H **27**
Tiptree Gro. *W'fd* —4F **5**
Tiree Chase. *W'fd* —6J **5**

Tithe, The. *W'fd* —5D **4**
Toledo Clo. *Sth S* —5F **29**
Toledo Rd. *Sth S* —5F **29**
Tollesbury Clo. *W'fd* —5G **5**
Tollgate. *Ben* —6J **15**
Tomkins Clo. *Stan H* —4C **32**
Tonbridge Rd. *Hock* —3F **9**
Tonge Rise. *Shoe* —5G **31**
Tongres Rd. *Can I* —4E **34**
Toppesfield Av. *W'fd* —6E **4**
Tornley Clo. *Lang H* —1B **20**
Torquay Clo. *Ray* —6H **7**
Torquay Dri. *Lgh S* —4G **27**
Torrington. *Shoe* —4D **30**
Torsi Rd. *Can I* —5H **35**
Totman Clo. *Ray* —4K **15**
Totman Cres. *Ray* —4K **15**
Toucan Clo. *Shoe* —3E **30**
Toucan Way. *Bas* —2J **21**
Tower Av. *Lain* —5E **10**
Tower Ct. *Wclf S* —6C **28**
Tower Ct. M. *Wclf S* —6C **28**
Towerfield Clo. *Shoe* —5E **30**
Towerfield Rd. *Shoe* —5E **30**
Towerfield Rd. Ind. Est. *Shoe*
   —5E **30**
Townfield Rd. *R'fd* —2D **18**
Townfield Wlk. *Gt W* —1E **30**
Towngate. *Bas* —6J **11**
Town Sq. *Bas* —6J **11**
Trafalgar Rd. *Shoe* —5D **30**
Trafalgar Way. *Bill* —2F **3**
Trafford Ho. *Lgh S* —3H **27**
Travers Way. *Bas* —6E **12**
Treecot Dri. *Lgh S* —1H **27**
Treelawn Dri. *Lgh S* —1H **27**
Treelawn Gdns. *Lgh S* —1H **27**
Trenders Av. *Ray* —5F **7**
Trenham Av. *Pits* —5G **13**
Trent Clo. *W'fd* —5F **5**
Tresco Way. *W'fd* —6H **5**
Treviria Av. *Can I* —4G **35**
Trevor Clo. *Bill* —7D **2**
Trewithen Ct. *Ray* —4C **16**
   (off Connaught Rd.)
Trimley Clo. *Bas* —5A **12**
Trindehay. *Bas* —7G **11**
Trinder Way. *W'fd* —5D **4**
Trinity Av. *Wclf S* —6C **28**
Trinity Clo. *Bill* —7A **2**
Trinity Clo. *Lain* —6E **10**
Trinity Clo. *Ray* —3A **16**
Trinity Rd. *Bill* —7A **2**
Trinity Rd. *Ray* —3A **16**
Trinity Rd. *Sth S* —4G **29**
Trinity Wood Rd. *Hock* —3G **9**
Tripat Clo. *Stan H* —2K **33**
Triton Way. *Ben* —6G **15**
Truman Clo. *Bas* —6C **10**
Trumpeter Ct. *Bill* —4D **2**
Trunnions, The. *R'fd* —3D **18**
Truro Cres. *Ray* —6G **7**
Tudor Av. *Stan H* —3E **32**
Tudor Chambers. *Bas* —7F **13**
Tudor Clo. *Ben* —7F **15**
Tudor Clo. *Lgh S* —5E **16**
Tudor Clo. *Ray* —2B **16**
Tudor Ct. *Bas* —2H **11**
Tudor Gdns. *Lgh S* —2F **27**
Tudor Gdns. *Shoe* —5D **30**
Tudor Mans. *Pits* —7F **13**
Tudor Rd. *Can I* —5B **34**
Tudor Rd. *Lgh S* —5E **16**
Tudor Rd. *Wclf S* —3C **28**
Tudor Wlk. *W'fd* —4C **4**
Tudor Way. *Hock* —7F **9**
Tudor Way. *W'fd* —4C **4**
Tunbridge Av. *Sth S* —3E **28**
Tunbridge Rd. *Sth S* —3D **28**
Tunstall Clo. *Bas* —7G **13**

Turner Clo. *Shoe* —4F **31**
Turold Rd. *Stan H* —3E **32**
Turpins. *Bas* —5A **12**
Twain Ter. *W'fd* —6E **4**
Twinstead. *W'fd* —5G **5**
Twyford Av. *Gt W* —1G **31**
Twyzel Rd. *Can I* —4G **35**
Tye Comn. Rd. *Tye G* —7C **2**
Tyefields. *Pits* —5G **13**
Tyelands. *Bill* —7D **2**
Tyler Av. *Bas* —6E **10**
Tylers Av. *Bill* —2F **3**
Tylers Av. *Sth S* —5E **28**
Tylewood. *Ben* —3J **25**
Tylney Av. *R'fd* —1C **18**
Tyms Way. *Ray* —7J **7**
Tyrells. *Hock* —6D **8**
Tyrells, The. *Corr* —4G **33**
Tyrone Clo. *Bill* —7A **2**
Tyrone Rd. *Bill* —7A **2**
Tyrone Rd. *Sth S* —6A **30**
Tyrrel Dri. *Sth S* —5F **29**
Tyrrell Ct. *Bas* —6G **13**
Tyrrell Rd. *Ben* —3B **24**
Tyrrells Rd. *Bill* —7B **2**

Ullswater Rd. *Ben* —5E **14**
Ulster Av. *Shoe* —6C **30**
Ulting Way. *W'fd* —3J **5**
Ulverston Rd. *R'fd* —2J **9**
Una Rd. *Bas* —6K **13**
Undercliff Gdns. *Lgh S* —5H **27**
Underhill Rd. *Ben* —2E **24**
Underwood Sq. *Lgh S* —3E **26**
Union La. *R'fd* —2C **18**
Upland Clo. *Bill* —3E **2**
Upland Dri. *Bill* —3D **2**
Upland Rd. *Bill* —3D **2**
Upland Rd. *Lgh S* —5J **27**
Uplands Clo. *Ben* —2B **24**
Uplands Clo. *Hock* —6F **9**
Uplands Pk. Ct. *Ray* —1A **16**
Uplands Pk. Rd. *Ray* —7H **7**
Uplands Rd. *Ben* —2B **24**
Uplands Rd. *Hock* —6F **9**
Upper Av. *Bas* —3J **13**
Up. Lambricks. *Ray* —7J **7**
Up. Market Rd. *W'fd* —3F **5**
Up. Mayne. *Bas* —3G **11**
Up. Park Rd. *W'fd* —7F **5**
Upper Rd. *Cray H* —6A **4**
Upton Clo. *Stan H* —5D **32**
Upway. *Ray* —1K **15**
Upway, The. *Bas* —4A **12**
Urmond Rd. *Can I* —4E **34**
Uttons Av. *Lgh S* —5F **27**
Uxbridge Clo. *W'fd* —5H **5**

Vaagen Rd. *Can I* —4F **35**
Vadsoe Rd. *Can I* —3E **34**
Vale Av. *Sth S* —3E **28**
Valence Way. *Bas* —7E **10**
Valentines. *W'fd* —5F **5**
Vale, The. *Bas* —2B **22**
Vale, The. *Stock* —1H **3**
Valkyrie Rd. *Wclf S* —5B **28**
Vallance Clo. *Sth S* —2J **29**
Valley Rd. *Bill* —5F **3**
Valmar Av. *Stan H* —6B **32**
Vanderbilt Av. *Ray* —3G **7**
Vanderwalt Av. *Can I* —5H **35**
Van Diemens Pass. *Can I* —5K **35**
Vange Bells Corner. *Fob* —4K **21**
Vange By-Pass. *Bas* —3A **22**
Vange Corner Dri. *Van* —4K **21**
Vange Hill Ct. *Bas* —2C **22**
Vange Hill Dri. *Bas* —7B **12**
Vange Pk. Rd. *Van* —3K **21**
Vanguards, The. *Shoe* —5F **31**
   (in two parts)

Wick Dri. *W'fd* —6G **5**
  (Cranfield Pk. Rd.)
Wick Dri. *W'fd* —4F **5**
  (Nevendon Rd.)
Wickford Av. *Bas* —6E **12**
Wickford Ct. *Bas* —6E **12**
Wickford M. *Bas* —6E **12**
Wickford Pl. *Bas* —6E **12**
Wickford Rd. *Wclf S* —6C **28**
Wick Glen. *Bill* —3D **2**
Wickham Pl. *Bas* —7A **12**
Wickhay. *Bas* —7H **11**
Wick La. *W'fd* —4G **5**
  (in two parts)
Wicklow Wlk. *Shoe* —5C **30**
Wickmead Clo. *Sth S* —3J **29**
Widgeons. *Pits* —6G **13**
Wiggin's La. *L Bur & Bill* —7C **2**
Wilkin Ct. *Lgh S* —3F **27**
William Rd. *Bas* —6K **13**
Williamsons Way. *Corr* —2F **33**
Willingale Av. *Ray* —1G **15**
Willingales, The. —6C **10**
Willingale Way. *Sth S* —3A **30**
Willmott Rd. *Sth S* —6B **18**
Willow Clo. *Can I* —5D **34**
Willow Clo. *Hock* —5F **9**
Willow Clo. *Lgh S* —6H **17**
Willow Clo. *Ray* —7H **7**
Willowdale Cen. *W'fd* —3F **5**
Willow Dri. *Ray* —7G **7**
Willowfield. *Lain* —4E **10**
Willowhill. *Stan H* —2E **32**
Willows, The. *Bas* —6G **13**
Willows, The. *Ben* —1B **24**
Willows, The. *Bill* —6B **2**
Willows, The. *Sth S* —3A **30**
Willow Wlk. *Ben* —2K **25**
Willow Wlk. *Hock* —5F **9**
Wills Hill. *Stan H* —4D **32**
Wilmslowe. *Can I* —3H **35**
Wilrich Av. *Can I* —5H **35**
Wilsner. *Pits* —5G **13**
Wilson Clo. *Stan H* —7C **32**
Wilson Ct. *W'fd* —5E **4**
Wilson Rd. *Sth S* —6D **28**
Wimarc Cres. *Ray* —7F **7**
Wimbish Ct. *Bas* —5F **13**
Wimbish End. *Bas* —6F **13**
Wimbish M. *Bas* —5F **13**
Wimborne Rd. *Sth S* —4F **29**
Wimbourne. *Bas* —5C **10**
Wimhurst Clo. *Hock* —4E **8**
Winbrook Clo. *Ray* —4A **16**
Winbrook Rd. *Ray* —4A **16**

Winchcombe Clo. *Lgh S* —2G **27**
Winchester Clo. *Lgh S* —5H **17**
Winchester Clo. *Ray* —5F **7**
Winchester Gdns. *Bas* —3E **10**
Winchester Way. *Bas* —5D **12**
Wincoat Clo. *Ben* —2C **24**
Wincoat Dri. *Ben* —2C **24**
Windermere Av. *Hull* —1G **9**
Windermere Rd. *Ben* —5E **14**
Windermere Rd. *Sth S* —5G **29**
Windmill Heights. *Bill* —7F **3**
Windmill Steps. Sth S —6G **29**
  (off Kursaal Way)
Windsor Clo. *Corr* —2G **33**
Windsor Clo. *Can I* —5F **35**
Windsor Gdns. *Ben* —1J **25**
Windsor Gdns. *Hock* —7H **9**
Windsor Gdns. *W'fd* —2F **5**
Windsor M. *Ray* —3J **15**
Windsor Rd. *Bas* —4J **13**
Windsor Rd. *Wclf S* —4C **28**
Windsor Way. *Ray* —3A **16**
Winfields. *Pits* —5G **13**
Winifred Rd. *Bas* —6F **13**
Winnowers Ct. *R'fd* —3D **18**
Winsford Gdns. *Wclf S* —1J **27**
Winstanley Way. *Bas* —4J **11**
Winstree. *Bas* —4F **13**
Winter Folly. *Lain* —7G **11**
Winter Gdns. Path. *Can I* —1C **34**
Winterswyk Av. *Can I* —5J **35**
Winton Av. *Wclf S* —6C **28**
Winton Av. *W'fd* —3C **4**
Winton Lodge. *Wclf S* —4A **28**
Wiscombe Hill. *Bas* —2E **20**
Witchards. *Bas* —7K **11**
Withypool. *Shoe* —3D **30**
Wittem Rd. *Can I* —3F **35**
Witterings, The. *Bas* —7C **12**
Witterings, The. *Can I* —3E **34**
Woburn Pl. *Bill* —2D **2**
Wollaston Cres. *Bas* —2H **13**
Wollaston Way. *Burnt M* —2G **13**
Wood Av. *Hock* —3E **8**
Woodberry Clo. *Can I* —2E **34**
Woodberry Clo. *Lgh S* —7E **16**
Woodberry Rd. *W'fd* —5J **5**
Woodbrook Cres. *Bill* —4E **2**
Woodbrooke Way. *Corr* —2H **33**
Woodburn Clo. *Ben* —1J **25**
  (in two parts)
Woodcote App. *Ben* —5B **14**
Woodcote Cres. *Bas* —6H **13**
Woodcote Rd. *Lgh S* —3J **27**
Woodcotes. *Shoe* —3E **30**

Woodcote Way. *Ben* —5B **14**
Woodcroft Clo. *Ben* —1J **25**
Woodcutters Av. *Lgh S* —7F **17**
Wood End. *Hock* —6D **8**
Wood End Clo. *Ben* —1J **25**
Wood Farm Clo. *Lgh S* —1F **27**
Woodfield. *W'fd* —5F **5**
Woodfield Gdns. *Lgh S* —5H **27**
Woodfield Pk. Dri. *Lgh S* —4J **27**
Woodfield Rd. *Had* —3B **26**
Woodfield Rd. *Lgh S* —4J **27**
Woodgrange Av. *Bas* —2E **20**
Woodgrange Clo. *Sth S* —5J **29**
Woodgrange Dri. *Sth S* —6G **29**
Wood Grn. *Bas* —3F **13**
Woodham Pk. Dri. *Ben* —3B **24**
Woodham Rd. *Ben* —3B **24**
Woodhams Way. *R'fd* —2E **18**
Woodhays. *Bas* —6G **13**
Woodhurst Rd. *Can I* —5C **34**
Woodland Clo. *Ben* —2B **26**
Woodlands Av. *Bas* —2C **20**
Woodlands Av. *Ray* —4A **16**
Woodlands Clo. *Bas* —1D **22**
Woodlands Clo. *Hock* —6D **8**
Woodlands Clo. *Ray* —4K **15**
Woodlands Dri. *Fob* —4A **22**
Woodlands Pk. *Lgh S* —2C **26**
Woodlands Rd. *Hock* —6D **8**
Woodlands Rd. *W'fd* —4F **5**
Woodlands, The. *Shoe* —4F **31**
Woodleigh Av. *Lgh S* —2F **27**
Woodley Wlk. *Shoe* —2E **30**
Woodlow. *Ben* —6H **15**
Woodmanhurst Rd. *Corr* —2F **33**
Woodpond Av. *Hock* —6D **8**
Woodside. *Lgh S* —6D **16**
Woodside Av. *Ben* —4B **14**
Woodside Chase. *Hock* —7E **8**
Woodside Clo. *Lgh S* —6D **16**
Woodside Cotts. *Bill* —2H **3**
Woodside Ct. *Lgh S* —7D **16**
Woodside Rd. *Hock* —2F **9**
  (Cavendish Rd.)
Woodside Rd. *Hock* —6B **8**
  (Hillside Rd.)
Woodside View. *Ben* —4C **14**
Woods, The. *Ben* —2B **26**
Woodstock Cres. *Hock* —5D **8**
Woodstock Cres. *Lain* —6B **10**
Woodstock Gdns. *Lain* —6B **10**
Woodview. *Lang H* —1A **20**
Woodville Clo. *R'fd* —1B **18**
Woodville Rd. *Can I* —5H **35**
Woolifers Av. *Corr* —3H **33**

Woolmergreen. *Bas* —5F **11**
  (in two parts)
Woolpack. *Shoe* —5D **30**
Woolshots Cotts. *Bill* —4A **4**
Woolshots Rd. *W'fd* —4B **4**
Worcester Clo. *Lang H* —7B **10**
Worcester Clo. *Stan H* —4D **32**
Worcester Dri. *Ray* —3B **16**
Wordsworth Clo. *Sth S* —3F **29**
Worthing Rd. *Bas* —6C **10**
Wrackhall Ct. *Can I* —6J **35**
  (off Gafzelle Dri.)
Wraysbury Dri. *Bas* —3F **11**
Wren Av. *Lgh S* —5F **17**
Wren Clo. *Ben* —6B **14**
Wren Clo. *Bill* —6G **3**
Wren Clo. *Lgh S* —5F **17**
Wrexham Rd. *Bas* —7D **10**
Writtle Wlk. *Bas* —5C **12**
Wroxham Clo. *Lgh S* —6D **16**
Wyatts Dri. *Sth S* —6J **29**
Wyburn Rd. *Ben* —6K **15**
Wyburns Av. *Ray* —4A **16**
Wyburns Av. E. *Ray* —4A **16**
Wych M. *Lain* —3E **10**
Wycombe Av. *Ben* —6A **14**
Wykeham Rd. *Bas* —4H **13**
Wykes Grn. *Bas* —5B **12**
Wynters. *Bas* —1K **21**
Wythams. *Pits* —5G **13**
Wythefield. *Bas* —7E **12**

Yamburg Rd. *Can I* —5H **35**
Yardeley. *Lain* —6G **11**
Yarnacott. *Shoe* —4C **30**
Yeovil Chase. *Wclf S* —1K **27**
Yew Clo. *Lain* —3E **10**
York Av. *Corr* —2G **33**
York Clo. *Ray* —4C **16**
York Rise. *Ray* —4C **16**
York Rd. *Bill* —2E **2**
York Rd. *Ray* —4C **16**
York Rd. *R'fd* —4J **9**
York Rd. *Sth S* —6E **28**
Young Clo. *Lgh S* —6J **17**

Zandi Rd. *Can I* —6H **35**
Zealand Dri. *Can I* —5J **35**
Zelham Dri. *Can I* —5K **35**
Zider Pass. *Can I* —5K **35**
Zuidorp Rd. *Can I* —5J **35**